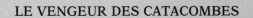

LE VENGEUR DES CATACOMBES

P. J. Lambert

LE VENGEUR DES CATACOMBES

Fayard

ISBN : 978-2-213-61578-3

Le Prix du Quai des Orfèvres a été décerné sur manuscrit anonyme par un jury présidé par Monsieur Christian Flaesch, Directeur de la Police judiciaire, au 36, quai des Orfèvres. Il est proclamé par M. le Préfet de Police.

Novembre 2007

À celles et ceux qui continuent d'y croire, au soleil comme sous l'orage...

1

Paris – 16 juin – 02 h 00

Imaginez des dentelles de pierre délicatement posées sur un gros morceau de gruyère et vous aurez une idée de ce qu'est réellement Paris !

En surface, grouille une foule cosmopolite d'êtres qui courent dans tous les sens pour oublier leur mal de vivre, vaquant à leurs occupations pour tenter de donner un sens à leur existence. Et en profondeur, là où la lumière du jour ne pénètre jamais, là où on appelle « ciel » ce plafond bas qui vous oppresse, un fromage, traversé par trois cents kilomètres de salles et de galeries, creusées au cours des siècles pour fournir le matériau destiné, à l'origine, à construire une grande partie des bâtiments de la ville.

Peu de risque de faire beaucoup de rencontres en bas, quoique, certains soirs, il puisse arriver que l'une ou l'autre de ces salles souterraines n'ait rien à envier à l'ambiance d'une cave enfumée de jazz. Mais ça, c'est l'œuvre des « touristes » : ceux qui ne savent rien des carrières, ceux qui refont le monde, les fesses posées sur un rocher en partageant un joint, ceux qui ne sont là que pour pouvoir dire : « J'y étais ! », et qui ne prendront surtout pas le risque de sortir des deux ou trois sentiers largement battus ! Les vrais résidents, les passionnés comme Biscotte, les « cataphiles », les *catas* comme ils se désignent eux-mêmes, sont peu nombreux. Ce sont eux qui parcourent ce réseau souterrain aussi familièrement que les couloirs de leur appartement, qui n'hésitent pas à s'y promener seul, à y dormir, parfois même à l'entretenir et à le nettoyer ; ce sont eux qui trouvent une âme à ces galeries et perçoivent au détour de ces anciennes pièces et conduits, on ne sait quelle odeur de mystère et d'ésotérisme.

Une population d'un troisième type se balade aussi en ces lieux... Elle n'est pas vraiment là pour savourer l'âpre beauté du site, elle porte l'uniforme et répond au nom d'E.R.I.C. Ce sont les policiers de l'Équipe de Recherche et d'Intervention des Carrières, dont la fonction première est de surveiller ces souterrains afin de s'assurer qu'ils ne deviennent pas le repaire de tous les trafics. En charge de verbaliser tous ceux qu'ils croiseraient dans ces couloirs où il est légalement interdit de se promener, ils se montrent, dans la pratique, plutôt tolérants avec les vrais habitués du réseau, ne sortant le carnet à souche que pour réguler le trafic des « amateurs » quand celui-ci se fait trop important au détour des salles. Effet dissuasif garanti !

C'est à tout cela que pensait Olivier Moureau, numéro deux de l'E.R.I.C en suivant Biscotte dans le dédale des galeries. Ils avançaient depuis vingt minutes déjà, le silence à peine rythmé par le heurt occasionnel d'un casque sur la saillie d'une pierre, le raclement d'un morceau de métal sur une paroi ou le bruissement d'un vêtement contre la roche.

Son guide s'arrêta net devant lui, et il faillit le percuter. Ses yeux se plissèrent afin de mieux détailler la suite du passage. Un cul-de-sac ! Il contourna le jeune homme, maintenant immobile, et se plaça en tête de colonne pour procéder à une inspection plus minutieuse de l'endroit.

Puis il se retourna pour interroger Biscotte du regard. Celui-ci paraissait encore
sous le choc, son teint rendu plus pâle
qu'à l'accoutumée par la lueur des
lampes. Son bras s'était levé pour désigner l'entrée d'une chatière ouverte dans
la paroi, creusée, probablement, dans le
but de contourner par la droite le mur que
l'Inspection Générale des Carrières avait
élevé, quelques semaines plus tôt, pour
obstruer la galerie.

– Nous y sommes... c'est par là... mais
je n'y retourne pas, commissaire,
annonça-t-il.

Moureau ne releva pas. Par trois fois
déjà, il lui avait rappelé qu'il n'était que
capitaine ! Son compagnon d'aventure ne
semblait pas l'avoir entendu jusque-là,
concentré entièrement sur sa fonction de
guide occasionnel du groupe, pressé de
pouvoir déguerpir, loin d'ici. Maintenant
qu'ils étaient enfin arrivés sur place, son
regard manifestait cette impatience. Jusqu'à ce jour, les carrières et les catacombes occupaient une grande partie de
sa vie, mais elles semblaient avoir brutalement perdu de leur attrait depuis sa dernière découverte. Moureau ne pouvait
cependant pas l'autoriser à s'éclipser tant

qu'il n'avait pas lui-même établi la véracité de cette histoire. Était-ce du lard ou du cochon... ?

Le policier jeta un coup d'œil dubitatif sur l'orifice qui s'ouvrait devant lui, se demandant s'il serait suffisamment large pour lui permettre de passer. Mais sa réflexion était idiote : si Biscotte avait réussi à s'y introduire, il le pourrait aussi, comme ils avaient à peu de choses près, sinon le même âge, du moins le même gabarit. De plus, il y avait une illusion d'optique due au jeu d'ombre et de lumière sur la paroi. En fait, c'était du beau boulot.

Il interrogea :

– Tu as fait ça tout seul ?

– Non, commissaire...

– Capitaine, murmura-t-il, le laissant poursuivre.

– Nous étions trois pour commencer à creuser, mais mes copains n'ont pas pu descendre, cette fois-ci. Alors, comme on était presque arrivé au bout, je me suis dit que je pouvais terminer seul...

– Au risque de te retrouver coincé si le tunnel s'affaissait ?

Biscotte haussa les épaules. Sa mine retrouvait un peu de sérénité, comme si le fait de parler de ce qu'il connaissait si bien pouvait apaiser son angoisse. Une lueur de fierté s'affichait même dans son regard, émotion bien compréhensible en réalité. En effet, creuser une chatière n'était pas vraiment une tâche des plus simples, demandant beaucoup d'efforts, de technicité, mais aussi de l'engagement et de la détermination, qualités dont il disposait généreusement. Il était le proto-type même du *cata* expérimenté, et Mou-reau le connaissait bien pour l'avoir contrôlé à plusieurs reprises au détour d'un couloir ou dans quelque pièce sou-terraine, alors qu'il y faisait une pause à la lumière de bougies.

Le policier désigna le mur qui bloquait le tunnel :

– Ça mène où ?

– Une centaine de mètres plus loin, on tombe sur un nœud de galeries que nous voulions explorer. Pour dire vrai, c'est un coin du réseau que je n'ai pas souvent visité.

– Que l'I.G.C a l'air de bien connaître, en revanche, sourit doucement Moureau.

L'Inspection Générale des Carrières, connue comme la bête noire du *cata* ! En effet, cet organisme murait petit à petit ou injectait des produits dans les galeries et les salles afin de les combler et de les consolider. Le but avoué de ces travaux était d'éviter que les immeubles situés en surface ne s'enfoncent à la suite d'un affaissement souterrain, appelé fontis. Le domaine des promenades s'en trouvait donc réduit, et les passionnés de ce milieu contestaient évidemment avec la plus grande vigueur ces procédés et n'hésitaient pas à creuser eux-mêmes des tunnels autour des obstacles placés sur leur route par les ingénieurs : ces fameuses chatières... C'est en s'ouvrant un tel passage que le môme avait découvert par hasard ce qu'il était venu leur signaler.

Biscotte se taisait, le regard dans le vague, se contentant d'attendre. À raison d'ailleurs ! Moureau inspecta rapidement le couloir. Quatre de ses hommes se tenaient là, ainsi qu'un représentant de l'I.G.C. Avec son guide, cela faisait sept personnes. Une foule pour ce couloir étriqué ! Ce chiffre devrait être provisoire si ce que Biscotte leur avait annoncé finissait par être avéré. Ce dont il ne doutait pas vraiment, tant les détails fournis par son interlocuteur semblaient confirmer qu'il ne s'agissait pas d'une simple hallucination due au cadre ou à la solitude.

Résolus, ils attendaient tous qu'il se décide à jouer au ver de terre. Alors, en soupirant, il se débarrassa de sa musette avant d'entreprendre de se glisser dans l'étroit conduit : ça raclait pas mal, notamment au niveau du casque, et les aspérités de la pierre, comme autant de burins miniatures, lui rentraient dans les chairs à travers le tissu de ses vêtements ; mais ça passait. À l'aide de ses jambes, il commença à progresser lentement, en rampant, conscient de l'étroitesse du passage et de la masse de roche au-dessus de sa tête. Il fit encore quelques mètres, avant de distinguer un orifice plus sombre dans le faisceau de sa lumière frontale. L'ouverture était sur sa droite, alors qu'il l'attendait de l'autre côté ! En tentant de contourner l'obstacle, Biscotte et ses copains avaient finalement abouti dans une salle inconnue d'eux, séparée du couloir qu'ils désiraient rejoindre par une cloison relativement mince.

Il s'approcha difficilement du trou et réussit à y glisser la tête, accédant enfin à une pièce plus vaste dont le sol en terre était jonché d'éclats de pierres de toutes tailles. La lumière lui permettait à peine de distinguer la paroi du fond sur laquelle était dessinée une peinture murale aux détails encore fondus dans la pénombre. Ce n'est qu'à ce moment qu'il prit réellement conscience de l'odeur : un mélange de renfermé et de moisi avec, en prime, des effluves lourdes et délétères, transportées par une fine poussière de roche qui lui rentrait dans le nez. Une odeur plutôt désagréable, carrément entêtante, voire purulente !

Il était temps d'inspecter les lieux plus avant ! Il se pencha pour mesurer la profondeur du sol sous son visage. Pas plus d'un mètre, il pouvait donc y aller ! Il se laissa couler et, se servant de ses bras comme amortisseurs, finit par atterrir à plat ventre au milieu d'une flaque d'eau croupie. Les risques du métier dans ce genre d'endroit ! Il ne s'y attarda pas et se redressa lentement, quadrillant la salle du regard afin de s'orienter, ses yeux finalement attirés par deux formes plus denses qui reposaient sur sa droite, en partie dissimulées par un bloc de roche blanche. Il s'en approcha en examinant le sol avec prudence, terriblement conscient du silence de la pièce, ne s'arrêtant qu'au

moment où sa lampe lui permit de distinguer précisément ce qui reposait à ses
pieds. Il s'agissait bien des deux corps
signalés, dont la décomposition paraissait
maintenant bien avancée. L'un d'entre
eux n'était guère plus qu'un squelette
auquel adhéraient encore quelques souvenirs de peau et de chair. Impossible même
de lui attribuer un sexe. L'état du second
cadavre laissait deviner qu'il s'agissait
d'une femme... L'odeur, à sa grande surprise restait supportable. Alentour, il n'y
avait manifestement rien de plus à noter.

Le plus délicat restait à faire. À considérer l'état et la disposition des corps, il ne
s'agissait pas de deux personnes mortes
de n'avoir pas su retrouver le chemin de
la sortie ou d'imprudents ayant chuté
dans un puits d'extraction. Il connaissait
par cœur la procédure à suivre : sécuriser
les lieux pour commencer, prévenir
l'Identité judiciaire, le médecin légiste et
le procureur.

Il resta campé quelques secondes de plus
devant les corps, silencieux, concentré, à
peine conscient du bruissement qui
annonçait l'arrivée du premier de ses collègues engagé dans la chatière. Il réfléchis-

sait aux consignes qu'il allait donner par ordre d'importance.

D'abord, en évitant bien sûr toute contamination de la scène du crime, il faudrait fouiller cette salle de fond en comble, dans l'espoir de retrouver les vêtements des victimes.

Et aussi les morceaux de corps qui manquaient à l'appel.

Leurs têtes et leurs mains...

2

Paris – 16 juin – 11 h 00

« Premier étage à droite, il vous suffira de lire les plaques », avait bougonné, sans même relever la tête, un brigadier grisonnant, plongé dans la lecture de son magazine. Un planton visiblement excédé à l'idée de passer son dimanche à effectuer un travail aussi peu gratifiant. « Encore un de ces gars qui attend la retraite, vissé sur son siège comme une dent sur pivot », avait-elle songé en le fusillant du regard, « et qui en veut au monde entier de l'avoir oublié là, même si, compte tenu de sa médiocrité, il s'agissait probablement de la seule chose intelligente à faire. » Elle avait été tentée de lui remonter un peu les bretelles, ce qui lui aurait au moins permis de défouler sa propre mauvaise humeur, mais elle y avait renoncé rapidement. Aussi se contenta-t-elle de hausser les épaules et de poursuivre son chemin.

Ayant fidèlement suivi les indications formulées de si bonne grâce, elle se tenait maintenant devant la porte en question, restée ouverte. Elle frappa discrètement sur le battant et se glissa dans la pièce étroite, s'arrêtant à la vue de l'homme assis derrière son bureau métallique. À l'inverse du planton de l'accueil, il avait daigné quitter son dossier des yeux et la dévisageait. « Plutôt beau gosse », nota-t-elle furtivement, avant de s'approcher.

Le flic se leva souplement, confirmant ainsi sa première impression. Un visage carré au nez fin sous une tignasse de cheveux noirs bouclés, des yeux bruns foncés surlignés de sourcils fournis mais non broussailleux, mesurant 1,80 m à vue de nez, un individu du genre à entretenir sa forme à en juger par la largeur de ses épaules et l'absence d'embonpoint sous son pull-over moulant ! À première vue, il devait avoir à peu près le même âge qu'elle.

– Capitaine   Moureau ?   interrogea-t-elle, je suis Amélie Boursin. Je pense que vous m'attendiez.

Elle observa son air soucieux, mais ses rides s'estompèrent dès qu'il lui répondit :

– En effet, confirma-t-il, j'ai été prévenu que vous repreniez l'affaire et c'est pour ça que je suis encore ici à vous attendre. Vous êtes de la brigade criminelle ? Capitaine Boursin ?

– C'est ça.

– Je m'attendais plutôt à voir un homme, prononça-t-il, l'air étonné.

Un vrai cri du cœur ! Brutalement conscient de sa gaffe, il crut bon de préciser :

– Ne connaissant que votre nom et votre grade, j'avais mal préjugé...

Dans son empressement à corriger le tir, il en bafouillait presque.

– J'assume, répondit-elle sèchement, réprimant une légère moue d'agacement, mais sans réelle acrimonie.

Après tout, il n'y avait pas vraiment de condescendance dans le ton, seulement le poids des traditions qui mettent parfois un peu de temps à évoluer. La réaction était même plutôt habituelle quoique généralement plus atténuée. Fliquette de base, oui ; chef de groupe à la Crim', c'était parfois plus difficile à faire avaler, n'en déplaise au nombre de policiers féminins qui s'affichent dans des séries, à la télévision.

Il lui serra la main et lui fit signe de

s'asseoir. Une poigne ferme mais sans excès. Sans lui broyer les doigts comme preuve d'une quelconque et stupide supériorité, cette prévenance acheva d'ailleurs de la convaincre que sa réaction première n'était pas vraiment hostile.

Ils prirent tous deux le temps de se poser ce qui lui permit de s'imprégner du cadre, pas très reluisant, d'un bureau administratif typique, avec son mobilier de métal gris-vert, loin de sa première jeunesse. Manifestement, renouveler les équipements n'était pas la priorité de ce département. Il referma soigneusement le document posé devant lui et attira de nouveau son attention :

– Puis-je vous poser une question ?

– Allez-y !

– Que la Crim' soit saisie de l'affaire est tout à fait naturel et je n'ai pas été surpris de voir débarquer votre patron, hier, le commissaire...

Il hésitait. Le nom lui échappait.

– Simeoni, précisa-t-elle.

– Oui, c'est ça. Mais pourquoi reprenez-vous le flambeau maintenant ? Ce n'est pas très habituel... À ma connaissance vous n'étiez même pas sur place.

Il pouffa doucement avant de poursuivre, dévoilant une belle rangée de dents très blanches :

– J'étais très occupé mais je n'aurais pas pu ne pas le remarquer !

« Peut-être une façon de se faire pardonner, après coup, son réflexe machiste », songea-t-elle. Elle ne releva pas le compliment, se contentant de répondre sur le ton le plus neutre possible, sans pourtant parvenir à masquer une certaine gêne. Difficile de dire s'il la percevait.

– J'étais bien de permanence cette nuit mais j'ai malheureusement rencontré un petit problème et Simeoni s'est retrouvé temporairement obligé de me remplacer au pied levé...

Elle restait imperturbable mais bouillait intérieurement, encore furieuse de ce qui s'était passé, et des commentaires acides du commissaire. Une première pour elle ! Elle ne pouvait pas décemment lui en vouloir, car elle avait bel et bien commis une erreur de débutante. Elle aurait dû signaler à son équipe le nom du café où elle se trouvait au lieu de s'en remettre à son seul portable.

– Pas trop grave ? s'enquit-il.

– Quoi ?

– Le problème.

– Non... Une personne à rencontrer de façon urgente à quelques pas du Quai des Orfèvres. Et mon portable a rendu l'âme. Du coup, ils n'ont pas pu me joindre tout de suite.

– Vous n'avez pas de « biper » ?

– Laissé dans le tiroir de mon bureau, grimaça-t-elle.

Il se mit à rire de bon cœur.

– La totale ! Le principe de l'emmerdement maximum.

Elle acquiesça, souriant malgré elle, et continua :

– Je suis donc bien arrivée sur les lieux, mais en retard et mes collègues étaient déjà descendus. Sans guide disponible, il m'a fallu attendre que les techniciens de l'I.G.C se décident à rouvrir un accès qui avait été condamné non loin de la chatière. Ils ont mis du temps ! Quand j'ai enfin pu accéder à la scène du crime, vous-même étiez déjà parti... En exploration, je crois.

Il hocha la tête d'un air entendu, et Boursin se demanda un instant ce qu'il en pensait. En réalité, cela lui importait peu ! Son parcours professionnel témoignait bien du fait qu'elle n'avait plus grand-

chose à prouver, mais cette histoire risquait de la faire passer pour une gourde !

– Je vois, finit-il par articuler, avec ce
qu'elle prit peut-être à tort, pour un zeste
d'ironie. De toute façon, vos clients pouvaient encore vous attendre. Peu de
chance qu'ils refroidissent beaucoup plus.

Le ton glacial du commentaire la déran-
gea vaguement. Peut-être était-elle un peu
à cran aujourd'hui pour être aussi sensible ? Elle ne répondit rien, le laissant
enchaîner :

– Comme vous le savez, la salle n'avait
qu'une seule issue évidente... avant que la
chatière ne soit creusée, bien entendu.
Une porte métallique, classique, non ren-
forcée. Nous l'avons fait ouvrir et sommes
partis en repérage, à la recherche de
traces éventuelles... Pour voir aussi si
nous ne retrouvions pas quelque part les
parties manquantes... Ou les vêtements...
Et nous y avons passé plusieurs heures.

Comme elle, il n'avait pas dû beaucoup
dormir cette nuit. Sans qu'elle puisse vraiment le deviner sur ses traits... Peut-être
cette très légère ombre sous les yeux ?

– Votre patron aussi était là ?
demanda-t-elle.

– Non. Le commandant Baratte est en

congé, actuellement. Il bronze quelque part en Tunisie... Comme ces situations ne sont pas fréquentes chez nous, je l'ai appelé pour le tenir informé, mais il n'y a pas vraiment de raison qui justifie un retour anticipé... Pendant les quelques jours qu'il lui reste à tirer, je pense pouvoir vous aider tout aussi efficacement.

– Je n'en doute pas... Donc vous avez inspecté les galeries au-delà de la pièce. Avec quel résultat ?

– Vous n'avez pas lu mon rapport ? interrogea-t-il, l'air atterré.

Il la prenait réellement pour la reine des andouilles ! Elle répondit d'une voix cinglante :

– Si, bien évidemment ! Mais c'est toujours plus instructif de l'entendre de vive voix. Vous savez bien que le jargon administratif masque parfois des éléments importants... Je voudrais connaître les détails, les doutes et sentiments que l'on ne peut pas toujours exprimer et développer par écrit...

Il écarta les mains, les paumes en avant en signe d'apaisement.

– D'accord, concéda-t-il. En fait, pas grand-chose : aucune trace récente visible sur le sol... Trop dur, trop compacté. Le couloir monte très légèrement par rapport à la salle du crime, ce qui explique que ce lieu soit le seul endroit où la terre était meuble, voire boueuse... D'ailleurs, vous avez peut-être pu y relever quelque chose ?

Boursin secoua négativement la tête, encore agacée de ses sous-entendus précédents...

– Rien d'exploitable, dit-elle finalement.

– J'ai aussi repéré un ancien puits d'extraction dans la pièce même.

– Rien, là non plus. Il a été condamné depuis longtemps. Une plaque de métal encastrée dans le béton et qui n'a pas été touchée depuis des lustres... Nous avons vérifié... Ce n'est pas par là que le ou les tueurs sont entrés.

Il approuva du menton. Il ne semblait pas vraiment surpris.

– Cela confirme nos premières impressions, dit-il. Nous sommes entrés par la porte... puis nous avons suivi le couloir et sommes tombés, une cinquantaine de mètres plus loin, sur un nœud du réseau d'où partaient trois autres galeries.

Boursin ne put résister au désir d'enfoncer le clou :

– L'une d'entre elles donne, si je vous ai bien lu, sur la chaufferie de l'hôpital Broussais.

Moureau, feignant de ne pas remarquer son insistance à prouver qu'elle avait bien lu son rapport, se contenta de préciser calmement :

– C'est ça. Après une trentaine de mètres supplémentaires, nous avons abouti à un étroit escalier de pierre, avec une autre porte métallique en haut de celui-ci.

– Et sur les autres côtés ?

– Des galeries, encore et toujours des galeries avec de nouveaux croisements... de nouvelles salles.

– Rien d'autre de remarquable à signaler ?

– Non.

– D'autres entrées dans le réseau ?

Il se recula sur sa chaise, les deux mains derrière la tête, avant de répondre :

– Nous avons pu en identifier une petite dizaine dans un rayon d'environ quatre cents mètres. Deux seulement étaient encore praticables. Les autres étaient soudées ou comblées.

Un long silence s'abattit sur la pièce, rompu par Amélie :

– Qu'est-ce-que vous en pensez ?

– C'est-à-dire ? demanda-t-il.

– Quelle est votre idée ?

Il hésita un moment avant de répondre, ne s'attendant manifestement pas à une telle question.

– Difficile à dire... La salle du crime était fréquentée. Ou, en tout cas, l'a été à une certaine époque.

– Vous pensez à la peinture murale ?

– Oui, sourit-il, un rien goguenard.

C'était une gigantesque fresque, probablement peinte quelques années plus tôt à en juger par la dégradation des couleurs, représentant une scène orgiaque du plus bel effet, où les corps nus s'entremêlaient dans des positions toutes plus osées les unes que les autres. Certaines relevaient même de performances anatomiques à grand renfort de matériels et d'objets divers ! Elle faisait allusion notamment à une utilisation très inhabituelle du stéthoscope.

– Ça ressemble bel et bien à du travail de carabin, admit-elle.

– Et vu la proximité de l'hôpital...

– Vous pensez que le tueur serait venu de Broussais ?

– On ne peut pas en être certain, mais

il est vraisemblable que cette pièce est ou a été fréquentée par des internes. Pour leurs fêtes, leurs bizutages... ou autres usages.

– Bien possible, reconnut-elle.

Il reposa les mains à plat sur la table devant lui, et elle ne put s'empêcher de remarquer comme elles étaient fortes et larges, les ongles bien entretenus. Leurs regards se croisèrent longuement avant de s'éloigner, comme si de rien n'était !

– D'autre part, renchérit-il, un hôpital est certainement le meilleur endroit pour faire disparaître des fragments de corps... Sans parler des fringues.

Elle y avait déjà pensé.

– C'est logique, accepta-t-elle. Et c'est d'ailleurs l'hypothèse la plus plausible pour le moment puisque, suite à la lecture de votre rapport, un de nos spécialistes a examiné la porte de la chaufferie, côté réseau... Et il nous a confirmé qu'elle avait été graissée récemment, ce qui n'aurait pas dû être le cas si elle n'avait pas été utilisée depuis longtemps.

– Des empreintes ?

– Des fragments... anciens. Probablement des résidus de contacts antérieurs.

Rien de probant. Mais il est intéressant de noter qu'elle n'a pas été essuyée.

– Comme si la personne qui l'avait huilée ne craignait pas d'y laisser apparaître quoi que ce soit... Il portait des gants certainement.

– Possible, accepta Boursin, bien qu'il paraisse difficile de s'être occupé des gonds sans avoir touché le battant... Du coup, nous nous sommes intéressés de plus près à cette entrée... Si on s'en tient aux dires des responsables de l'hôpital que nous avons pu contacter, elle aurait été condamnée il y a un peu plus de deux ans, à la suite d'un accident... Une infirmière, en effet, s'est tuée en tombant dans un puits d'extraction. Dans celui du lieu du crime, d'ailleurs. Cette histoire n'était pas secrète mais avec le temps, on peut penser que quelques fêtards de l'hôpital aient souhaité retrouvé l'usage du lieu.

– Peut-être, accorda Moureau. Mais dans ce cas, vous auriez découvert des traces de pas ou d'activité. Ils n'auraient eu aucune raison de dissimuler leurs marques.

– C'est exact, mais le tueur aura pu le faire pour eux en nettoyant après ses passages, répliqua-t-elle.

Il grogna son assentiment puis, s'emparant d'un stylo dans un petit gobelet de plastique bleu posé sur sa table, entreprit de le faire coulisser entre ses doigts. Il paraissait plongé dans ses pensées.

– Les résultats de l'autopsie ? demanda-t-il, après un temps de réflexion.

– Demain matin, seulement. On est dimanche et il y a déjà des clients sur les tables. Le médecin légiste pense que la mort du premier cadavre remonte à deux semaines, et celle de l'autre entre cinq et sept... Peut-être plus. C'est tout ce qu'on a pour l'instant.

– Je vois.

– Vous avez déjà connu beaucoup de problèmes de ce type dans les catacombes ? demanda-t-elle.

– Il ne s'agit pas de catacombes mais de carrières, dans le cas qui nous intéresse, précisa-t-il.

– Quelle différence ?

– À Paris, il n'existe pas vraiment de catacombes, au sens romain du terme. Là où l'on trouve des ossements, il s'agit plutôt d'un fourre-tout, d'un débarras. D'anciennes galeries ou carrières ont été utilisées pour se débarrasser des corps qui encombraient les cimetières de la ville, lorsque ceux-ci ont été pleins, au risque de déborder sur les vivants... Un problème de salubrité publique avant tout. Le premier cimetière à avoir été vidé dans les carrières a été, si je me souviens bien de mes leçons, celui des Innocents dont les ossements se trouvent maintenant sous la place Denfert-Rochereau.

Elle l'écoutait sans dire un mot, le laissant terminer, prise par l'intérêt de cette visite guidée. Manifestement, Moureau connaissait bien son terrain de jeu.

– Les carrières existent depuis la création de la ville, continua-t-il, ce que vous appelez catacombes, depuis à peine plus de deux cents ans.

– Merci de la précision, sourit-elle.

– Et pour répondre à votre question, non, il n'y a pas beaucoup d'histoires dans les carrières. Beaucoup plus de rumeurs, c'est certain, sur fond de messes noires ou autres cérémonies rituelles déviantes, mais dans les faits, c'est d'autant plus tranquille que le domaine accessible tend à se rétrécir progressivement, grâce aux interventions de l'I.G.C. Depuis le temps, j'ai dû connaître une ou deux histoires de viol, des accidents, parfois très graves, de promeneurs qui tombent dans des puits.

Mais en général, nos fonctions relèvent plutôt du domaine de la contravention.

– Intéressant ! Et accepteriez-vous de me guider à nouveau dans les cat... carrières ?

Sa réponse ne se fit pas attendre.

– Je suis à votre service... Où voulez-vous aller ?

– Je ne sais pas vraiment. J'aimerais revenir sur les lieux du crime, explorer quelques galeries, accompagnée d'un expert. Sentir l'atmosphère... si vous voyez ce que je veux dire.

– Pas de problème. Vous êtes vaccinée ?

– Oui... Et majeure, ne put-elle s'empêcher de sourire.

Il s'esclaffa.

– Je ne parle pas de ça, mais de la leptospirose.

– La maladie des rats ?

– Oui.

– Oui, je le suis. Une enquête récente m'a amené à fréquenter les égouts. Je préfère de loin vos carrières.

– Ce que je peux comprendre. Par contre, les égouts font aussi partie de nos attributions. Pour quand la balade ?

– Pourquoi pas maintenant ? Je n'ai rien prévu de particulier. Et vous ?

Il rit à nouveau.

– Moi non plus. D'accord, on y va. On achètera un sandwich en route. Vous avez du matériel ?

– Non.

Il se leva brusquement, l'air presque soulagé de pouvoir enfin bouger. « Pas le genre de gars qui aime s'éterniser sur une chaise », songea-t-elle.

– Alors, je vous emmène au rez-de-chaussée. On va voir ce qu'on peut vous dégoter...

3

Paris – 16 juin – 20 h 00

– My name is Meyer... David Meyer, et si tu te décides enfin à quitter ce clown, je souhaite en être le premier informé...

Les éclats de rire de Valérie Simeoni rebondissent sous les moulures de l'entrée de leur appartement. Il faut dire que je dois avoir l'air un brin ridicule, agenouillé devant la femme de mon meilleur ami, une gerbe de fleurs à la main, à déclamer pour elle. En plus, le parquet me fait mal aux genoux ! Après tout, je n'ai plus vingt ans et je manque d'un peu de pratique. Faudrait pas que ça s'éternise sinon je n'arriverai plus à me relever !

Mon vieux copain François, se tient debout derrière son épouse, vêtu d'une chemise blanche et d'un pantalon de flanelle grise, affichant un vague sourire narquois au coin de l'œil. Comme s'il pouvait soupçonner les affres articulaires que je subis ! Il le peut d'ailleurs ! D'abord, il est flic et donc observateur et lui aussi se tape un peu plus de quarante balais. Évidemment, il est moins bien conservé que moi. C'est ce que j'ai coutume de lui dire.

Si j'étais médisant et si je souhaitais le dénigrer, je dirais què je trouve toujours aussi incompréhensible que la charmante, jeune et belle Valérie ait choisi de lier sa vie à la sienne, mais ce serait seulement pour le faire bisquer. En fait, je les adore trop tous les deux et me dois de reconnaître qu'ils sont sacrément bien assortis. Lui, avec sa bonne gueule de paysan à la toiture poivre et sel, carré et massif, droit dans ses bottes, calme au point d'en paraître presque placide pour ceux qui ne le fréquentent pas. Elle, un diamant de femme à la frimousse ronde, dont les yeux bruns, aux reflets dorés, ne cessent de pétiller, et dotée d'un sourire qui vous donne en permanence envie de vivre. De plus, elle est une fabuleuse cuisinière, ce qui explique que je me sente particulièrement comblé d'être invité ce soir. J'oubliais d'ailleurs une autre de ses qualités, peut-être la plus surprenante, celle de supporter François, mon « presque » frère, et cela depuis longtemps. À peu près quinze piges, à vue de souvenir !

– Il va avoir besoin d'un treuil pour remonter, commente ironiquement celui-ci. Il n'a pas l'habitude de faire tant de sport.

Valérie pouffe à nouveau, le regard brillant, avant de récupérer le bouquet, sans doute pour alléger charitablement ma charge.

– Debout, mon prince ! prononce-t-elle, entrant dans le jeu.

– Tu m'as enfin reconnu ! m'exclamé-je de façon grandiloquente avant d'entreprendre de me redresser le plus souplement possible.

J'y suis arrivé sans trop de mal, et surtout sans grimacer ! Je me précipite vers elle pour l'étreindre, lui laisse à peine le temps d'éloigner les fleurs, au risque de les écraser, et lui cloque sur les joues mes deux gros bisous traditionnels bien sonores, et les plus affectueux.

Un bref coup d'œil à François qui, comme toujours effaré par tant de culot, secoue la tête d'un air affligé, devinant déjà ce que je me prépare à faire.

– Stop ! dit-il, en tentant de me repousser d'une main.

J'esquive son geste et l'embrasse à son tour. Il rigole et ne se débat pas, car il a l'habitude de mes facéties. Il faut dire qu'on se connaît depuis toujours. Nés à Ajaccio, nous avons partagé ensemble toutes les joies de la maternelle ainsi qu'une grande partie de nos humanités, scolaires et extra-scolaires, si vous voyez ce que je veux dire. Cela, avant qu'il ne finisse par tourner mal en passant le concours de commissaire de police. Pour être sincère, je ne suis pas certain d'avoir moi-même bien évolué, si j'en juge par les qualificatifs qui m'ont été décernés au fil des années. Depuis « cure-poubelle » jusqu'à « fouille-merde », en passant par « baveux » et autres joyeusetés de la même veine ! Tout ça pour dire que je suis devenu journaliste. Mais indépendant, s'il vous plaît, ne retrouvant mon pote François qu'au travers de ma spécialité : les affaires criminelles. Avec la modestie qui me caractérise et que la France entière applaudit sans réserves, je dois d'ailleurs avouer que je jouis d'une assez bonne réputation dans ce domaine. Lui aussi doit avoir plutôt bien réussi, puiqu'il est maintenant commissaire principal et numéro deux de la brigade criminelle, au

36, quai des Orfèvres. On murmure d'ailleurs, dans le Landerneau policier, qu'il
serait susceptible d'être appelé bientôt à
de plus hautes fonctions.

Cette longue digression nous a permis
de nous installer au salon. Je pose donc
délicatement mon postérieur musclé sur
le moelleux canapé d'alcantara, couleur
tabac blond, et lui, il reste debout afin de
me faire choisir parmi les nectars divins
celui qui va humecter mes papilles.
N'ayant pas fait vœu de tempérance, je
n'hésite pas longtemps avant de me décider pour la bouteille de Saint-Estèphe que
je vois trôner, déjà ouverte, sur une
commode. François doit, une fois de plus,
partager mes goûts puisque je le vois
retourner deux verres ballons puis, finalement, un troisième. Pour Valérie certainement, qui s'est envolée avec légèreté en
direction de la cuisine, dans le but probable de dénicher un vase à la mesure du
généreux assortiment d'orchidées que je
lui ai ramené.

Le carillon de la porte interrompt mon
vieil ami au moment le plus délicat ! À la
seconde même où, ayant posé la main sur
le col de la bouteille, il s'apprêtait à l'incli-

ner légèrement pour remplir les verres ! À mon grand désespoir, il interrompt son mouvement, temporise un instant, pour s'assurer que Valérie n'a pas l'intention de s'en occuper, puis finit par reposer le flacon encore plein avant de prononcer à la cantonade, c'est-à-dire, dans ce cas précis, à l'intention de sa seule épouse :

– J'y vais !

Et de disparaître dans le couloir de l'entrée... Je me retrouve maintenant confronté à une question existentielle. Que faire ? Dois-je me lever pour remplacer mon ami au pied levé comme sommelier ou dois-je me contenter d'attendre patiemment son retour ? Je n'ai pas le temps de m'éterniser sur ce dilemme majeur dès lors que François me rejoint, précédant une charmante jeune femme que je reconnais aussitôt, même si je n'ai pas eu la chance de la voir depuis quelques mois.

Sa présence n'était pas vraiment prévue, mais au diable l'avarice ! Ce soir je n'aurai pas l'impression de tenir la chandelle ! Ou en tout cas pas tout seul ! Je la regarde avec plaisir et elle m'observe sans dissimuler sa curiosité. Serait-il l'heure de témoigner de mon contentement avec cette retenue proverbiale qui a fait les grandes heures de la maison Meyer ? Il convient de dire, comme vous commencez certainement à vous en apercevoir, que j'ai l'habitude de m'exprimer avec une certaine emphase quand je suis de bonne humeur, ce qui est le cas ce soir. Doublement d'ailleurs, depuis quelques secondes. J'en ai même oublié la sécheresse de mon gosier, c'est dire !

– Capitaine Boursin ! C'est un honneur !

Mon exclamation s'accompagne d'un élargissement prononcé des maxillaires, spécialité dont je m'efforce, en travaillant dur, d'obtenir le monopole.

Elle me sourit en retour.

– Bonjour, monsieur Meyer !

Salutation discrète et retenue que François met à profit pour l'aider à ôter son manteau.

À plusieurs reprises déjà, j'ai eu l'occasion de rencontrer Amélie Boursin, mais jamais dans un cadre privé, ce qui explique que je m'attarde quelque peu à la détailler. Elle consent à l'examen sans commentaire, un léger sourire au coin des lèvres. C'est une femme plutôt agréable à regarder, une rousse abricot aux cheveux mi-longs et au visage ovale plutôt plaisant, illuminé par deux immenses yeux verts. Un nez peut-être un peu trop effilé mais des lèvres pulpeuses et attirantes. Pour le reste, tout se présente sous d'heureux auspices. Exceptionnellement, elle est en jupe me permettant d'apprécier de fort jolies jambes sur de fines chevilles. Je n'avais pas gardé un souvenir aussi agréable de nos premières rencontres ! Si elle a remarqué mon inspection, elle n'en laisse rien paraître, toute occupée à examiner la pièce avec une curiosité digne d'une fine limière. Je la sens un peu tendue... Il est temps d'enchaîner, avec cette originalité dans le texte qui me vaudra probablement un séjour immortel à l'Académie Française :

— Comment allez-vous ?

Ses yeux arrêtent d'inspecter le salon pour se porter sur moi. Est-ce dû à sa profession de flic, et même de très bon flic, mais j'ai le sentiment qu'elle me déshabille du regard. Je veux parler de mon âme, bien évidemment ! En tout cas, l'effet est aussi bizarre qu'agréable.

— Très bien et vous ? répond-elle, se

donnant ainsi le droit d'occuper un fauteuil voisin du mien sous la Coupole !

– Ça fait un bail.

– C'est vrai, sourit-elle.

– Mais si je vous ai perdue de vue, j'ai continué à suivre vos exploits.

D'accord, ce n'est pas très brillant comme enchaînement mais, après tout, je n'ai encore rien bu. Elle ne semble pas choquée du commentaire, acquiesçant même avec modestie et répondant du tac au tac :

– Et moi, je lis toujours vos articles.

Je n'ai pas vraiment le temps de me sentir honoré, le couple Simeoni nous rejoint alors dans la pièce, par deux portes différentes. Valérie dépose le vase de cristal chargé de fleurs sur la commode, non loin de la bouteille de Saint-Estèphe déjà nominée, toujours pas consommée, avant de saluer Amélie Boursin. François, qui a suivi son épouse du regard, n'a pu manquer d'apercevoir au passage le flacon le rappelant à son devoir le plus prioritaire : l'apéro !

Et nous voilà à papoter avec un entrain soutenu par la qualité des breuvages ! Valérie, n'ayant pas souhaité s'en laisser conter, a aussi ramené un champagne que les femmes ont entrepris de déguster avec un enthousiasme tout aussi prononcé que le nôtre. Nous sirotons sans modération, au point que François s'inquiète déjà du sort de sa bouteille de vin qui est en train de se prendre une baffe magistrale ! J'espère pour lui qu'il ne s'attendait pas à ce qu'elle survive trop longtemps !

À ce point de la dégustation, nous avons droit chaque fois à l'histoire de l'âne du père Giudicelli, celle où il est tellement saoul qu'il le confond avec une chèvre et essaie de le traire. Mais cette histoire ne fait plus rire Valérie depuis longtemps. Elle se lève pour mettre la dernière main à son plat : un bœuf bourguignon, je crois.

Boursin profite de ce moment pour s'adresser à François :

– Je te demande, encore une fois, de m'excuser pour cette nuit.

Je ne sais pas ce qu'elle évoque mais ne pense pas qu'il s'agisse d'une banale histoire de fesses. Du coup, je me contente d'observer, ce qui doit d'ailleurs leur apporter un peu de repos, car, je ne sais pas si je vous l'ai dit, j'ai la réputation d'être quelque peu bavard.

– Pas de problème, répond celui-ci, c'est déjà oublié... Ça arrive... Si je n'avais pas peur de perdre ton respect, je te raconterais une ou deux bourdes qu'il m'est arrivé de commettre... Tant que rien de grave n'en découle...

J'observe la scène avec curiosité mais, de toute évidence, ils ne semblent pas avoir envie de me mettre dans la confidence.

– À propos, où en est-on des recherches, aujourd'hui ? interroge François, changeant de sujet.

Elle se tourne vers moi et me dévisage longuement, ma modestie légendaire m'interdisant de penser que ce soit pour mieux apprécier la pureté de mes traits. Il s'agit plutôt d'une façon élégante de demander à son patron si elle peut s'exprimer en toute liberté, même devant un ami. Il est évident qu'elle connaît ma discrétion et sait que François partage avec moi beaucoup d'informations sans que j'en abuse. Mais la méfiance à l'égard du journaliste reste chevillée au corps de beaucoup de policiers. Non sans raison, d'ailleurs. Mon ami n'intervient pas, la laissant prendre elle-même sa propre décision. De toute façon, en abordant le sujet devant moi, il a implicitement trans-

mis le message que ma présence ne sau-
rait les gêner en aucune façon.

Elle semble enfin se décider et se
retourne vers lui.

– J'ai fait un tour des galeries avec
Moureau, cet après-midi, histoire de revi-
siter la scène du crime et de sentir un peu
l'atmosphère.

Par mes fonctions de journaliste d'in-
vestigations criminelles, je suis déjà
informé de la découverte macabre. Mais
j'ignorais qu'elle s'occupait du dossier. Je
ne sais pas encore qui est ce Moureau
mais j'imagine que je ne mettrai pas longtemps à l'apprendre.

– Et alors ? demande François.

– Rien de plus que ce que je t'ai déjà
signalé, dit-elle. Sous réserve de la confirmation du médecin légiste, il semble bien
qu'on ait affaire à un couple, tué à des
dates distinctes et éloignées... La découpe
a eu lieu sur place, d'après l'Identité Judiciaire... Aussi certainement que la mort,
en raison de la distance à parcourir pour
arriver dans la salle. À moins d'avoir une
force surhumaine, le tueur n'aura pu
transporter les cadavres sur son dos sur
plus d'une centaine de mètres. Aucune
certitude encore quant à la cause exacte

du décès... Les gars de l'E.R.I.C continuent de quadriller les galeries environnantes pour tenter de retrouver les pièces manquantes. En fait, je m'oriente pour le moment vers l'idée que le tueur se serait débarrassé des têtes et des mains à l'hôpital Broussais. Pour l'instant, je ne vois rien d'autre à faire avant l'autopsie qui aura lieu demain matin.

Simeoni hoche la tête :

– Ça ne va pas être évident de les identifier ces deux-là, dit-il.

– C'est certain, approuve-t-elle.

– Tu penses donc que l'hôpital pourrait être impliqué d'une autre façon que pour avoir servi de dépotoir éventuel pour les parties manquantes ?

– Ce n'est pas impossible. Tout le monde, là-bas, connaît ou a au moins entendu parler de la salle du crime, après la mort de cette infirmière, il y a quelques années.

François grogne son assentiment.

– Ton programme de demain ? interroge-t-il.

– Institut médico-légal puis Broussais... Ou l'inverse. Après je la jouerai à l'oreille.

– Tu as besoin de quelqu'un avec toi ?

Elle hésite avant de répondre :

– Pour l'instant, non. Je suis déjà en binôme avec Roger. Mais je verrai en fonction des résultats de l'autopsie. Si on arrive à identifier les corps, il nous faudra certainement un peu plus de monde.

François reste silencieux, semblant assimiler les informations avant de reprendre, en changeant de sujet :

– Ce Moureau m'a plutôt l'air d'être un gars bien... J'ai été impressionné par la qualité de son rapport et par son comportement sur les lieux du crime. Il est énergique, décidé, professionnel, ses analyses sont pertinentes, et ce n'est de toute évidence pas la première fois qu'il assiste à ce genre de spectacle. Je me demande ce qu'il fabrique à l'E.R.I.C. Ça fait un peu voie de garage pour un type comme lui.

– Tu veux que je me renseigne sur son parcours ?

Simeoni secoue négativement la tête.

– Tu as autre chose à faire pour l'instant. Je m'en occuperai. On ne sait jamais, ça pourrait être une bonne recrue pour la Crim'... Et celui qui a découvert le corps, tu l'as revu ?

Elle sourit :

– Jean-Philippe Eudebert, alias Biscotte dans le monde des « cataphiles ».

Vingt-sept ans, employé comme chef de rayon dans une grande surface, il passe une bonne partie de ses week-ends dans les galeries. Un passionné. J'ai eu l'occasion de parler un peu avec lui, la nuit dernière, mais le gars était de toute évidence très choqué. Je compte bien le revoir mais je ne pense pas qu'il nous en apprendra beaucoup plus.

Simeoni approuve du menton, pensif, sa réflexion brutalement interrompue par la voix de Valérie qui les prévient depuis sa cuisine :

– Maintenant à table, tout le monde ! Et arrêtez de parler boutique... Vous aurez bien assez le temps, demain.

Que répondre à ça ?

Rien... Seulement obéir.

4

Paris – 17 juin – 0 h 30

La sortie des artistes. C'est-à-dire celle de Boursin et de votre serviteur. Après un dîner qui s'est bien passé, magnifiquement même si j'en juge par cette sensation de tiédeur diffuse qui habite mon estomac et se répand au travers de toutes mes fibres musculaires en une plaisante béatitude. La nuit est agréable, mais il est temps d'en faire abstraction et de rentrer chez nous... L'école des adultes, aussi, est ouverte demain.

Cependant, un moment d'hésitation dans la rue nous pousse à faire une pause sans nous concerter. Nous savourons le silence de cette voie étonnamment calme pour la cité et apprécions la caresse d'une douce brise, tandis que je m'interroge sur la conduite à tenir : comment va-t-on se saluer ? Je lui aurais bien fait la bise maintenant que nous sommes passés au tutoiement. Mais quelque chose me retient : il ne peut s'agir de timidité chez moi, vous me connaissez maintenant ! Je me contente alors de profiter du moment présent, tout en me souvenant de la soirée et, plus particulièrement, de l'initiative de Valérie Simeoni grâce à laquelle le capitaine Boursin est devenue pour moi, Amélie...

Avec sa franchise coutumière, elle nous avait ainsi apostrophés :

– Bon, si on cessait de s'adresser la parole comme des étrangers ! Après tout, nous sommes tous très proches de François, ce qui devrait nous faciliter les choses.

Puis, penchée vers Amélie, elle lui avait murmuré sur un ton destiné à être entendu de tous :

– Je suis heureuse de vous rencontrer enfin. Savez-vous que François a osé me confier que si je n'étais pas aussi parfaite, il vous aurait probablement fait un brin de cour ?

Et là, une chose inimaginable s'était produite : le capitaine Boursin, chef de groupe à la Crim', pas vraiment du genre à donner dans la guimauve, s'était mise à rosir tandis que mon ami éclatait de rire, laissant son épouse poursuivre de plus belle :

– Mais ne vous inquiétez pas, ce n'était que spéculation. D'abord, parce que je suis bel et bien la seule à pouvoir supporter ce vieux satyre et surtout, parce que je lui ai dit que, s'il faisait ça, je laisserai David me conter fleurette... Et comme il est jaloux comme un tigre...

Sur ce, j'avais surenchéri :

– Autorisation que j'attends depuis des années !

Et me tournant vers mon pote :

– Faites commissaire, faites !

La scène s'était achevée dans un grand éclat de rire et nous nous étions alors mis tous à nous tutoyer.

Amélie met fin à mes atermoiements en me tendant la main.

– Eh bien ! David, ce fut un plaisir.

– Tu as l'air fatiguée, lui dis-je, toujours aussi peu avare de compliments...

– Je le suis. Je n'ai dormi que quelques heures, la nuit dernière. Et demain..., ou plutôt aujourd'hui, promet d'être à nouveau une journée chargée.

Nos mains restent serrées l'une dans

l'autre. Elle ne semble pas le remarquer, alors je ne le remarque pas non plus...

– Mais je suis contente d'être venue, ajoute-t-elle, j'ai vraiment passé une très bonne soirée.

– Moi aussi. Et surtout ça m'a fait plaisir de te revoir.

Elle relâche enfin son étreinte. Quel est ce léger sentiment de manque que je ressens d'un coup ?

– Eh bien ! salut ! dit-elle en se détournant.

Elle n'a fait que quelques pas quand je l'interpelle :

– Amélie ?

Elle se retourne et me regarde pendant que je me rapproche d'elle :

– Oui ?

Cette femme m'intimide quelque peu et j'ai du mal à trouver mes mots. Elle attend patiemment que je reprenne mes esprits. Est-ce la fatigue ou autre chose, mais mon sens de la tchatche semble s'être mis en vacances.

– J'aimerais qu'on ait l'occasion de se revoir, lui dis-je un peu bêtement... Avant l'année prochaine, je veux dire.

Elle ne répond rien, me laissant poursuivre :

– Si je t'invitais à dîner dans le courant de la semaine, tu accepterais ?

Je me sens moi-même complètement idiot. Une telle platitude pour un homme de lettres. Un peu dans le genre : « T'as de beaux yeux, tu sais ! » ou « Vous habitez chez vos parents ? »

Elle soupire et je devine un demi-sourire dans la pénombre :

– C'est la fille ou le flic que tu veux inviter ?

Là, je me retrouve un peu dans mon élément !

– Il est bien évident que je vais parler de l'enquête dans un de mes articles. Mais penses-tu sincèrement que je ne pourrais pas obtenir d'informations sans toi ? C'est donc plutôt la femme qui m'intéresse.

Elle approuve... et concède lentement :

– Plutôt ? ... Je ne suis pas certaine que ce soit une très bonne idée.

Un fugitif instant de déception avant qu'elle ne reprenne :

– Mais il est possible que j'accepte. Par contre, mon emploi du temps est assez chargé. Je pense que tu connais le numéro du standard ?

« Pas vraiment un enthousiasme débor-
dant, ce qui reste compréhensible, » me
dis-je, planté sur le trottoir, conscient
qu'elle est tout à fait en droit de se demander si ma démarche n'est pas plus inspirée
par la fonction que par la personne. Pour
dire vrai, je n'en sais rien moi-même !
Certes, Amélie m'apparaît très attirante,
mais je ne la connais pas encore suffisamment pour savoir si, en l'invitant, je souhaite seulement mêler l'agréable à l'utile
ou vice versa.

Quoi qu'il en soit, je n'ai pas été vraiment brillant ce soir. Au lieu d'être le
David Meyer sûr de lui, je me suis plutôt
affiché comme un adolescent boutonneux
à la faconde aussi étriquée que son esprit.

« L'avenir me le dira ! » finis-je par
conclure avec fatalisme, tout en prenant
la direction de mon véhicule que j'avais
réussi, avec beaucoup de mal d'ailleurs, à
garer une cinquantaine de mètres plus
loin. Quelques pas encore avant de poser
franchement le pied – gauche s'il vous
plaît – dans le souvenir gluant abandonné
par ce type d'animal de compagnie que le
Parisien moyen élève dans son appartement. C'est en jurant de bon cœur que je

me racle fermement la semelle sur le rebord du trottoir, maudissant tous les Médors et leurs propriétaires jusqu'à la dernière génération.

5

Paris – 17 juin – 11 h 30

Monique Ravier, patronne de l'Institut médico-légal de Paris, avait l'air particulièrement sous pression, ce matin. Campée devant la fenêtre de son bureau, les épaules relevées sous la tension, elle observait le paysage de béton et de grands ensembles qui constituait son horizon. Sans réellement le voir d'ailleurs, supposa Boursin. Prenant conscience d'une présence dans son dos, elle se retourna brusquement, permettant à Amélie de détailler ce visage grave que le métier lui avait rendu tellement familier. Elle nota rapidement les mèches blondes éparses dans la chevelure brune qui s'arrêtait juste au-dessus de l'épaule, le visage triangulaire terminé par un menton volontaire et les deux yeux noisette qui, en ce moment, affichaient une forte lueur d'agacement.

– Tu m'as l'air en pleine forme, sourit Boursin, en guise de salut.

– Tu parles ! s'échauffa son interlocu-
trice, en retour. J'ai rarement vu un souk
pareil ! Et un lundi matin en plus ! C'est à
se demander si les chauffards et les assas-
sins se reposent un jour ! Avec, par-dessus
le marché, deux de mes médecins
absents ! Un qui se trouve à Washington,
pour assister à une convention dont il
reviendra en sachant tout des blessures
par balles, et le second à qui j'ai dû me
résoudre à accorder un peu de congé. Il
avait tellement d'heures supplémentaires
derrière la cravate qu'il avait dû s'attacher
son adresse autour du cou pour pouvoir
s'en souvenir quand il lui arrivait de rentrer chez lui.

Amélie ne répondit rien, amusée. Elle
connaissait bien la légiste et savait qu'il
était dans sa nature de se laisser parfois
aller à relâcher un peu de vapeur. Une
façon certaine d'extérioriser le stress du
métier.

– À cela, renchérit celle-ci, tu peux
ajouter le fait que je passe maintenant la
plus grande partie de mes journées à me
battre avec l'administration pour obtenir
du matériel et du personnel supplémentaires... À croire qu'ils n'en ont rien à
faire ! Restrictions budgétaires... Discours

lénifiant sur discours lénifiant... Et pendant ce temps, nous faisons des journées
de vingt-six heures !

Elle soupira profondément :

– Ah, si seulement je pouvais coller un
de ces gratte-papiers sur une de mes
tables ! Je lui expliquerais que si les morts
ne votent pas, ils aiment aussi qu'on s'occupe d'eux rapidement et qu'on ne les
traite pas avec du matériel acheté en
grande surface !

Amélie étouffa son rire, imaginant le
tableau. Elle avait une conscience aiguë
du problème ; ce genre de diatribe pouvait
malheureusement s'appliquer aussi à la
situation de l'ensemble des services de
police. Beaucoup d'hommes et de femmes
motivés, professionnels, n'y comptaient
pas leurs heures, face à quelques comp-
tables ronds-de-cuir qui ne semblaient
être payés que pour s'assurer du nombre
d'agrafes utilisées, ne ratant certainement
pas un seul dîner en famille. Et encore, la
Crim' était supposée être parmi les dépar-
tements les mieux équipés !

Ravier balaya nerveusement la pièce du
bras qui s'arrêta finalement sur le bureau
recouvert de dossiers. Elle s'empara d'une
feuille sur le haut d'une pile.

– Et regarde-moi ça, en plus !

Amélie saisit le document. Un certificat de décès, pas encore paraphé. Elle en parcourut rapidement les mentions, puis releva la tête, interrogative.

– Rien ne te choque ? insista la légiste.

Un nouveau coup d'œil.

– Non, rien à part le fait qu'il n'est pas signé, ce qui est normal puisque c'est ton travail.

– Regarde la cause du décès : « Arrêt cardiaque ».

Amélie comprit enfin.

– Eh oui ! s'énerva Ravier, il faut que je leur explique même ça. Noyé, écrasé ou poignardé, tu meurs toujours d'un arrêt cardiaque. Ça n'a jamais été une cause mais un effet !

Elle sembla renoncer. Sa poitrine se gonfla lourdement d'un nouveau soupir.

– Tu veux un café ? Ou un thé ?

Amélie secoua négativement la tête. Comme d'habitude. Elle n'était pas vraiment bégueule et avait assisté à son lot d'autopsies, mais l'idée d'avaler ne serait-ce qu'un café dans une morgue lui faisait horreur. Ravier ne l'ignorait pas et posait la question seulement pour la forme. Elle sonnait la fin de la récréation et annon-

çait qu'on allait enfin passer aux choses
sérieuses.

– J'ai été étonnée que tu ne sois pas là,
ce matin, lui reprocha brusquement la
légiste. Tu ne m'as pas donné l'habitude
d'être absente lorsqu'on traite tes cas.

– Je savais que mon affaire était en de
bonnes mains puisque tu t'en occupais
personnellement, répondit sournoisement
Amélie.

Ravier ne put s'empêcher de sourire.

– La flatterie ne te mènera nulle part,
dit-elle.

– Plus prosaïquement, je rencontrais
l'administration de l'hôpital Broussais et
ça m'a retardée. J'ai dû faire un choix
mais, sachant que c'était toi qui interve-
nais, je ne courais pas beaucoup de
risque.

– Et tu as retiré quelque chose de cette
visite ?

– Rien de bien concret. « Vous n'imaginez quand même pas qu'un membre de
notre personnel puisse être impliqué ! »
parodia Amélie, d'une voix aiguë.

Ravier sourit de l'imitation puis
contourna son bureau, s'attaquant nerveusement au ruban qui fermait une chemise cartonnée, posée devant elle. À son

tour, Amélie prit place en face d'elle, sur un siège bien moins confortable, à droite d'un magnifique écorché, de taille adulte, qui étalait sa musculature et ses viscères à grand renfort d'encres de couleurs vives sur papier glacé.

– Comme tu le sais, je me suis occupée de tes clients, ce matin, et j'ai de bonnes nouvelles, compte tenu des circonstances et de l'état des corps.

– Superbe ! C'est-à-dire ?

– C'est-à-dire que nous avons de bonnes chances d'en identifier un... ou plutôt une, dans ce cas précis.

Amélie, impressionnée par cette possibilité d'identification, ne répondit rien, se contentant de sortir un petit carnet de sa poche, la laissant développer :

– Si j'en juge par l'examen de l'orifice et de l'arc pelvien, de l'échancrure sciatique et des sacro-iliaques, le plus ancien de tes cadavres est bien un homme... Confirmé par une tête humérale de 47 mm d'épaisseur... Becs de perroquets sur les vertèbres avec un début d'ostéoarthrite prononcée, rugosité de la partie supérieure de l'os iliaque, et début de détérioration de la surface de la symphyse pubienne lui donnent un peu plus de cinquante ans. Sa taille, extrapolée à partir de la longueur du fémur, devait être de 1 m 80 environ... Et pour clôturer le tout, je pense qu'il y a plus de quatre-vingts pour cent de chances qu'il s'agisse d'un Noir.

– D'où est-ce que tu tires ça ? s'étonna Boursin, en continuant à prendre des notes. Sans la tête, tu n'auras pas pu distinguer de signes de prognathisme !

– Les genoux des Noirs sont plus écartés que ceux des Blancs au niveau des condyles, le système osseux qui forme l'articulation médiane de la jambe, ce qui est d'ailleurs la raison pour laquelle les chirurgiens orthopédistes préfèrent opérer des Noirs plutôt que des Blancs au niveau du genou. Ils ont plus de place pour travailler. D'autre part, l'angle de la ligne de Blumensatt, qui est l'une des jonctions internes du fémur, diffère aussi entre les Blancs et les Noirs. Normalement, avec le métissage, ces différences tendent à se réduire ; on évite donc de prendre des risques dans le pronostic mais, dans son cas, je ne pense pas me tromper.

– Donc, récapitula Boursin, nous cherchons un homme noir, mesurant 1 m 80

et âgé d'environ cinquante-cinq ans.
D'autres éléments sur lui ?

– Rien de plus pour le moment.

– Tu as une idée sur la date du décès ?

– Je pense, un peu plus de huit
semaines.

La légiste écarta les bras en un geste
d'impuissance avant de poursuivre :

– Difficile de faire mieux pour l'instant,
mais dès que j'aurai pu affiner, je te tiendrai au courant. Non seulement le lieu où
on l'a retrouvé est mal référencé en terme
de vitesse de décomposition, mais il a été
aspergé, comme la femme d'ailleurs, de
chaux vive. Tu n'as rien remarqué comme
odeur ?

Amélie approuva de la tête.

– Si. Maintenant que tu le dis, elle
n'était pas aussi forte que ce qu'on aurait
pu attendre, vu l'état des corps.

– C'est une des caractéristiques de la
chaux vive, expliqua Ravier. Beaucoup de
criminels... et de policiers, d'ailleurs,
ignorent que la chaux n'accélère pas la
décomposition, mais la ralentit. En
revanche, elle a un effet certain au niveau
de l'odeur qu'elle atténue.

– Cause du décès ?

– Pas de traumas évidents, pas de fractures, pas d'entailles particulières. Rien à signaler de marquant sur les éléments dont nous disposons. Avec le peu de restes, je n'ai pas pu prélever grand-chose pour la toxicologie. Peu de chance donc qu'on puisse repérer quoi que ce soit de cette façon.

Boursin acquiesça.

– Cause du décès « inconnue » donc, pour l'instant... Et pour le second ?

– Sur l'autre, j'ai plutôt de bonnes nouvelles et en premier lieu, il sera plus facile à identifier. Je pense même être capable de te donner un nom dans l'après-midi.

– Comment ?

– Je te passe les détails pratiques, mais il s'agit d'une femme d'une petite quarantaine d'années qui a déjà enfanté. Taille 1 m 70 environ. De type caucasien et soucieuse de son galbe, au point de se faire poser des implants mammaires. Or, certains de ces implants portent un numéro de référence, en cas de problème. La chaux avait attaqué l'un d'entre eux mais le second est resté à peu près intact et nous avons pu relever le numéro de série. Ce qui va nous permettre de remonter au fournisseur, puis, de là, au chirurgien et enfin à la patiente.

– Eurêka ! sourit Boursin.

– On peut le dire, accorda Ravier avant d'ajouter : en plus je pense avoir déterminé la cause de son décès.

– C'est-à-dire ?

– J'ai retrouvé de l'air dans le ventricule gauche. Et en cherchant bien, j'ai pu identifier la trace d'un ancien hématome à la saignée du coude qui témoigne d'une injection un peu hasardeuse. La toxicologie me confirmera la présence ou non de drogue, mais je pense plutôt à une bulle d'air qui aurait entraîné une embolie cardiaque. L'air est entré dans le ventricule et a bloqué le passage du sang, d'où état de choc, puis asphyxie. Comme elle ne s'est pas coupé la tête toute seule, ça ne peut pas être une camée qui aurait raté son shoot. Le tueur a probablement tâtonné, s'y est sans doute repris à plusieurs fois, d'où l'hématome. Il était inexpérimenté, ou bien il aura eu du mal à trouver la veine.

– Intéressant, reconnut Boursin, ne pouvant s'empêcher de faire le rapprochement seringue/hôpital.

– Pas de traces visibles de violences sexuelles, mais vu l'état du corps, on ne peut être totalement formel. La date de son décès : pas plus de deux semaines. À propos, une dernière information, la section des poignets et du cou est nette et régulière ce qui m'amène à penser que les têtes ainsi que les mains ont été coupées après la mort. J'en suis certaine pour la femme et je pense qu'on peut le supposer pour l'homme aussi.

– Ça correspond bien à ce qu'on pensait, acquiesça Boursin. L'Identité Judiciaire n'a relevé aucune trace de projection de sang artériel près des corps, ce qui induit que le cœur avait cessé de battre au moment de la découpe. Tu as une idée de l'instrument utilisé ?

– Une lame fine et tranchante. Sans hésitation ni cafouillage. Un seul coup à chaque fois porté par un droitier. Entre la quatrième et la cinquième cervicale pour les têtes. Donc quelqu'un d'habile et probablement costaud. Pas le genre hache, si tu vois ce que je veux dire, sinon l'os aurait été en partie écrasé à sa section. Cherche plutôt quelque chose du style machette ou couperet de boucher. Les seules marques qui auraient pu correspondre à des traces de scie se sont révélées, au microscope, provenir de rongeurs. L'endroit est infesté de rats. J'ai aussi noté un petit éclat de bois au niveau de l'un des poignets de la femme. Le tueur a peut-être utilisé un billot. Tu as repéré quelque chose dans le genre ?

– Non.

– Alors, c'est un élément de plus à retrouver, cela pourrait probablement vous donner plus de précisions sur l'arme employée.

Amélie leva les yeux de son calepin, pensive, assimilant les informations dont elle disposait maintenant. Ravier s'était reculée dans son fauteuil, croisant les bras sur sa poitrine, tout en l'observant. Elle en avait terminé pour le moment et attendait d'éventuelles questions.

– C'est du bon boulot, commenta Boursin. Comme d'habitude, d'ailleurs... J'avoue que je ne vois pas ce que je pourrais te demander de plus. Qu'est-ce que tu en penses ?

Monique Ravier haussa doucement les épaules.

– Pas grand-chose pour l'instant. L'homme avait l'air plutôt costaud. Forte ossature, grand, pas vraiment une demi-portion, de toute évidence. Donc, le tueur l'aura certainement drogué. L'examen toxicologique nous en dira peut-être plus.

Le plus étonnant c'est l'intervalle de temps entre les deux meurtres perpétrés au même endroit... Plusieurs semaines, c'est long !

– Je suis d'accord, convint Amélie en se levant, tu me tiens au courant ?

– Bien entendu. Tu auras probablement de mes nouvelles en fin d'après-midi. Tu es toute seule là-dessus ?

– Nous sommes deux, pour l'instant. Roger se trouve toujours à Broussais où il interroge le personnel technique qui avait accès à la chaufferie. Nous ajusterons l'effectif en fonction des besoins.

– Je vois... Et sinon, à part ça, comment vas-tu ?

Après quelques minutes supplémentaires d'échanges plus personnels, Boursin se retrouva sur le perron de l'institut dont les briques ocre tournaient au rouge sous l'effet de la forte luminosité.

Un homme qu'elle reconnut instantanément, se tenait assis une vingtaine de mètres sur sa droite, sur un banc de bois à la peinture écaillée. L'apercevant, il se leva rapidement pour se diriger vers elle. C'était le capitaine Moureau, en civil, qui portait une paire de jeans ainsi qu'une chemise bleue unie sous un blouson de cuir gris pâle.

– Bonjour, capitaine, dit-il avec affabilité.

– Bonjour, capitaine, répondit-elle, surprise de le trouver là.

Il la dévisageait en souriant largement, les deux yeux plissés pour se protéger du soleil qu'il recevait maintenant en pleine figure.

– Je vous attendais, fit-il.

– Ça y ressemble... J'avoue être étonnée de vous rencontrer ici.

– Pas de raison pour que vous le soyez. Vous m'aviez signalé que vous deviez venir à l'I.M.L ce matin... Et j'étais curieux du résultat : ces deux cadavres sont aussi un peu mes bébés. Du coup, je me suis dit que je pourrais éventuellement vous inviter à déjeuner pour que vous me racontiez. Vous avez peut-être appris quelque chose de plus qui pourra nous être utile dans le cadre de nos recherches souterraines...

– Ça fait longtemps que vous attendez ?

– Un quart d'heure à peine. Le planton m'a confirmé que vous étiez là.

Elle hésita quelques secondes, étudiant la proposition :

– C'est que j'ai un programme plutôt chargé aujourd'hui...

– Mais vous deviez bien vous nourrir, n'est-ce pas ? insista-t-il.

– C'est vrai. Mais j'avais plutôt envisagé quelque chose de rapide, genre sandwich.

– Je vous promets que ça ne prendra pas beaucoup plus de temps. Je connais un petit bistrot dans le coin dont le patron est un ami, et où nous serons servis très rapidement.

Amélie pensa que ce déjeuner pouvait se révéler utile. Ne devait-elle pas le contacter pour lui parler du billot ? Alors autant faire d'une pierre deux coups. De plus, elle se souvenait de la conversation de la veille avec Simeoni et cela lui donnerait la possibilité d'en apprendre un peu plus sur lui. Leur visite des carrières lui avait permis de commencer à l'apprécier, malgré une première impression pour le moins mitigée.

– D'accord, concéda-t-elle. Mais pas trop longtemps.

– C'est promis ! On y va ?

– On y va !

6

Paris – 17 juin – 11 h 45

Je m'étire dans mon siège avec satisfaction, les yeux toujours rivés sur l'écran de
l'ordinateur. L'ébauche de l'article est
prête. Il ne me manque plus que quelques
détails et j'hésite encore sur le titre :
Double mixte, peut-être ? Ça me plairait
plutôt. Bien accrocheur, mais malheureusement inutilisable pour le moment. En
effet, je n'ai pas la preuve qu'il s'agisse
d'un couple. L'informateur qui m'a avisé
de la découverte n'a pas pu me le confirmer, et si Amélie semblait le sous-
entendre, hier soir, en discutant avec
François, elle s'était quand même expri-
mée avec réserve.

En revanche, j'en sais un peu plus sur
les lieux du crime. Accident grave, Broussais, mort d'une infirmière ; il ne m'a pas
été trop difficile d'obtenir des précisions,
de retrouver les coupures de presse sur le

sujet. Je l'ai fait la nuit même, en rentrant chez moi. Et c'est pour cela que je me trouve, en ce moment, dans mon salon, à attendre le docteur, plus précisément SOS Médecins.

Mes yeux s'attardent sur l'étagère qui décore le mur devant moi, surchargée comme toutes les autres de bouquins de fiction et d'ouvrages de référence. Il y a aussi ces objets que je considère avec affection, notamment la reproduction de cet orchestre de jazz que j'ai ramenée de l'une de mes dernières virées dans une brocante. Les musiciens sont fabriqués avec des boulons et des rondelles d'acier de tailles multiples. Le plus sympa d'entre eux, le clarinettiste, semble me désigner de son instrument.

Le carillon de la porte me rappelle que j'attends quelqu'un pour mettre à jour, je l'espère, mon dossier d'ambiance. Je me lève rapidement pour lui ouvrir.

— Bonjour, docteur.

Difficile de se tromper sur son activité professionnelle dès qu'on remarque la taille et la forme de la sacoche de cuir noir qu'il trimballe !

Blouson de cuir brun et pantalon en velours côtelé, pas vraiment grand. Un homme jeune, d'une trentaine d'années, mais qui devrait nous faire une calvitie précoce, si j'en juge par l'implantation déjà clairsemée de ses cheveux sur le front. Il porte des lunettes à monture d'écaille sombre, du genre de celles qu'arborait mon père... Et il a l'air vraiment agacé. Un peu normal d'ailleurs, puisque j'ai insisté lourdement pour que ce soit lui qui vienne en personne et aucun autre.

– Vous êtes le malade ? interroge-t-il en passant devant moi.

– Personne n'est malade ici, docteur.

Il s'arrête, se retourne et me dévisage, l'air presque outragé. « Il doit avoir de sacrées marques quand il retire ses verres », me dis-je, en appréciant à nouveau le poids supporté par son nez.

Mais il n'a aucune envie de plaisanter :

– C'est bien vous qui avez téléphoné ? reprend-il.

– Oui, mais ce n'est pas pour une maladie. C'est pour une consultation.

Il tique, grimace et ne comprend rien à ce que je lui raconte.

– Prenez le temps de vous asseoir une seconde, docteur, je vais vous expliquer... Croyez-moi c'est important.

Il me suit sans un mot et finit par

prendre place sur le canapé du salon, d'où il inspecte la pièce, l'air distrait et intrigué par la nature hétéroclite du décor.

Quoi qu'il en soit, mon toubib ne commente pas. Il se contente de pincer les lèvres avant de daigner poser à nouveau ses yeux sur ma personne.

– Vous êtes bien le docteur Jobin ? Marc Jobin, ancien interne de l'hôpital Broussais ?

– Oui, c'est bien moi. Mais vous devez le savoir puisque vous avez remué ciel et terre pour me faire venir.

J'approuve. Le mot est faible. Obtenir le droit de rencontrer un médecin précis chez SOS Médecins revient à écrire avec des gants de boxe. Il m'a fallu supplier, amadouer, cajoler, mendier, prier, mentir et travestir pour les convaincre enfin que seul Jobin était capable de résoudre mon grave problème de santé.

Je lui tends aussitôt une coupure de presse prise sur la table basse.

– Je suis journaliste, docteur, et je m'intéresse à une histoire qui remonte à quelques années.

Il jette un coup d'œil rapide à l'article rapportant la mort d'une infirmière. Si je m'intéresse à lui, c'est parce qu'il est la seule personne à y être nommément citée. Ses lèvres, d'abord pincées, deviennent inexistantes. Je sens qu'il va prendre son élan pour se relever et partir. J'interviens rapidement :

– Ça n'a aucun rapport avec vous, docteur, et je ne mentionnerai jamais votre nom ! Mais il s'est produit quelque chose de très grave, hier, au même endroit, et j'ai besoin que vous me décriviez les lieux et les circonstances du premier drame... C'est une question de vie ou de mort !

J'en rajoute un peu et j'insiste. Devant le ton employé, il reprend sa place, impressionné peut-être, mais surtout curieux !

– C'est-à-dire ?

L'abordage était délicat, mais le pirate Meyer a enfin accroché ses grappins !

– Je suis journaliste en matière d'affaires criminelles. Or, dans la nuit de dimanche à lundi, deux corps ont été découverts dans la même salle que celle où a eu lieu l'accident que vous connaissez. Du coup, il est important que j'affine ma connaissance du cadre afin de déterminer s'il existe un rapport éventuel entre les deux affaires.

Le gars a l'air plutôt étonné.

– Vous n'étiez pas au courant ? J'imagine pourtant que ce doit être un des grands sujets de discussion à Broussais, aujourd'hui.

Devant mes explications, il semble se détendre un peu et s'adosse confortablement aux coussins du sofa.

– Vous savez, je n'ai plus vraiment de contact avec cet hôpital. Au moment de la mort de Sofia, je terminais mon internat. Depuis, j'ai monté mon cabinet tout en travaillant pour SOS Médecins. Et la plupart des gens que je fréquentais à l'époque se sont eux aussi installés ailleurs.

– Vous parlez de Sofia Pavic, n'est-ce pas ?

– Oui, l'infirmière qui est morte.

– J'ai vu une photo dans la presse. Un beau brin de fille, de toute évidence.

Il soupire.

– C'est certain. Une des plus belles mais aussi...

Il hésite, s'arrête.

– Oui ?

– Vous savez, il arrive assez fréquemment que les médecins et les infirmières fricotent ensemble. C'est tout naturel, d'ailleurs, puisqu'ils se côtoient tous les jours...

– Rien de surprenant. C'est partout pareil, comme dans n'importe quelle société. Le travail en commun favorise certainement les rencontres. Mais que voulez-vous dire dans son cas précis ?

– En général, c'était plutôt discret, mais Sofia ne cachait absolument pas le fait qu'elle était intéressée... très intéressée même. Et qu'un chef de service lui conviendrait particulièrement bien comme mari. Ou alors, au pire, un médecin avec un fort potentiel... Un futur professeur, par exemple...

– Vous voulez dire qu'elle cherchait à se faire épouser et qu'elle n'était pas vraiment farouche pour appâter celui qu'elle visait ?

– C'est ça, admet-il.

– Ce qui explique qu'elle n'était pas la dernière à faire la fête dans votre local secret.

Il sourit doucement. Avec ses grosses lunettes, on dirait un raton laveur...

– Secret n'est pas vraiment le mot. En fait, je ne sais plus qui a découvert l'endroit à l'origine, mais tous les noceurs de l'hôpital connaissaient cette salle. On s'y rendait souvent pour des soirées, pour décompresser. On avait même installé des tables et tout le confort nécessaire.

– Des lits, par exemple ?

Il rit de bon cœur.

– Non, là vous exagérez ! Ça n'allait pas jusque-là. Il ne s'agissait pas de partouzes mais de fêtes... quoique parfois assez sauvages.

– Comme celles que sont susceptibles d'organiser tous les carabins du monde. Il faut bien se défouler.

– C'est ça.

– Et la peinture murale ? J'ai vu plusieurs photos prises par un journaliste de l'époque. Un vrai chef-d'œuvre.

Il s'esclaffe. Il me paraît maintenant beaucoup plus sympathique qu'à son arrivée. Comme si le fait de parler de sa période d'internat lui redonnait un coup de jouvence.

– Un travail collectif dont nous étions très fiers, précise-t-il, et que nous avons mis longtemps à terminer.

À la façon dont il insiste sur l'adverbe longtemps, je sens qu'il existe un sous-entendu.

– Pourquoi longtemps ?

Sa réponse tarde à venir, elle est codée :

– Disons que nous ne souhaitions pas salir nos vêtements.

– Et donc, vous peigniez nus !

– Nus pour les plus téméraires. En général non, mais en sous-vêtements, oui... Et interdiction à tout spectateur de se trouver dans une autre tenue s'il voulait assister ou participer à la création.

– Et les filles étaient nombreuses ?

Son visage semblait amusé à l'évocation de ces souvenirs.

– Y'en avait pas mal. Participer à l'élaboration de la fresque était considéré comme un rite initiatique.

– Il y avait donc autant à voir dans la salle que sur le mur. Je comprends. J'y aurais certainement passé du temps moi aussi, enfin du bon temps, je veux dire...

D'un seul coup, je l'imagine en train de dessiner sur la paroi, habillé en tout et pour tout d'un slip kangourou et de ses lunettes d'écaille. J'ai du mal à retenir un nouveau sourire. Mais je me dois de recadrer la discussion.

– Et comment s'est produit l'accident ?

Il redevient soudain sérieux.

– Bêtement comme toujours... Nous avions organisé une énième soirée pour fêter je ne sais plus exactement quelle

occasion... Il faut dire que tous les prétextes étaient bons pour s'amuser. Nous
avions bien évidemment repéré depuis
longtemps ce puits d'extraction et, par
précaution, nous l'avions colmaté avec
des planches.

– Qui, petit à petit, avec le temps et
l'humidité ambiante, se sont détachées,
j'imagine ?

– Oui. La soirée battait son plein et tout
le monde était déchaîné. L'alcool coulait
à flot et Pavic s'est mise à danser sur le
puits.

– Et le bois a cédé...

– Les planches ont glissé. Elle ne s'en
est pas rendu compte, sous l'effet de la
boisson. En une fraction de seconde, elle
est tombée. Sa tête a heurté le muret qui
cernait l'ouverture et elle a fait une chute
de près de vingt mètres...

Un long moment de silence affligé s'en-
suit à l'évocation de l'accident.

– Après, je pense que vous connaissez
la suite, dit-il.

– Oui.

L'émotion est perceptible dans la pièce.
C'est moi qui reprends le dessus :

– Pavic avait une famille ?

– Je ne sais pas vraiment. Je la connaissais un peu, bien sûr, mais nous n'étions pas du même service... Elle avait à peu près vingt-cinq ans, je crois, et si mes souvenirs sont bons, elle vivait encore chez ses parents pour des raisons de commodité. C'est tout ce que je peux vous dire.

– C'est déjà pas mal... Vous voulez boire quelque chose ? Un café ?

– Non, merci. Vous pensez que les meurtres dont vous me parlez peuvent avoir un rapport avec sa mort ?

– Pour être honnête, je n'en sais strictement rien. Mais, de mon métier, j'ai appris que tout est possible. Pour l'instant, seule la coïncidence des lieux me fait m'intéresser à votre histoire. Sachant qu'il ne s'agit peut-être que d'une coïncidence !

Il soupire et se relève doucement.

– Je vois. Eh bien ! je vais vous laisser maintenant.

– Je vous remercie beaucoup d'avoir accepté de me répondre... À propos, à cette époque, est-ce que Pavic était proche de quelqu'un en particulier ?

– Je ne m'en souviens pas vraiment... Ah si ! Elle avait une très bonne copine, une autre infirmière qui s'appelait... Marie-Christine... Rolles. Oui, Rolles, c'est ça. Elle pourra certainement vous donner plus de détails, si vous la rencontrez.

– Je vous remercie encore. Est-ce que je vous dois quelque chose pour la consultation ?

– Vous vous sentez bien ?

– Oui, plutôt.

– Alors vous ne me devez rien, sourit-il. Excepté le fait de ne pas mentionner mon nom dans votre papier. Je ne tiens pas à connaître une nouvelle célébrité douteuse... Et si vous aviez à nouveau besoin de me rencontrer, prenez plutôt rendez-vous à mon cabinet.

– Promis. D'ailleurs, pourquoi étiez-vous le seul à être désigné nommément dans ces vieux articles ?

– Parce que j'étais plus ou moins l'organisateur de toutes ces soirées.

Parlez-moi d'une surprise ! À le voir, je l'aurais plutôt imaginé faire banquette en suçant son pouce plutôt que dans le rôle d'animateur d'orgies. Comme quoi, l'habit ne fait vraiment pas le moine. Il a dû remarquer ma surprise... qui l'amuse.

– Eh oui ! les choses changent, n'est-ce pas ?

– J'admets.

Il retire ses lunettes et les brandit

devant lui. J'avais raison, les ailes de son nez sont marquées de deux profondes traces... Mais ça le rajeunit sacrément !

– À l'époque, je portais des verres de contact. Plus facile de séduire et de faire la fête qu'avec ça... Et puis je n'avais pas besoin de me vieillir pour rassurer les vieilles dames que je soignais.

J'en ris encore après avoir refermé la porte derrière lui.

7

Paris – 17 juin – 12 h 30

– Incroyable qu'on puisse arriver à les identifier si rapidement ! prononça Moureau, songeur, tout en laissant glisser sa fourchette dans l'assiette maintenant vide.

– La femme seulement... Mais je suis plutôt d'accord, admit Boursin. Cette erreur d'appréciation du tueur va certainement nous permettre d'aller plus vite dans nos recherches.

– Ils en font tous au moins une.

– Heureusement pour nous.

Ils avaient réussi à trouver une place en terrasse, bien installés au milieu de fleurs rouges et jaunes. Moureau n'avait pas menti, la cuisine était vraiment excellente et ils avaient été servis rapidement par un patron qui semblait bien connaître le policier. Boursin touillait doucement le café dans la tasse.

– Ça fait un bout de temps que vous fré-
quentez l'endroit, constata-t-elle.

– Où ? Ici ? C'est vrai. J'ai rencontré le
propriétaire dans un dojo, il y a quelques
années.

– Vous pratiquez quelle discipline ?

– Le judo.

– Où ?

– Dans le treizième arrondissement.

– À un haut niveau ?

– Troisième dan... Je me débrouille...
Et vous ?

– Self-défense... ceinture noire aussi...
et pour l'endurance, le roller quand je
trouve le temps.

– On voit que vous êtes sportive.

– J'espère, vu les efforts que je fais pour
rester en forme... À propos, puis-je vous
poser une question personnelle ?

– Bien sûr !

– Mon patron, Simeoni, et moi-même
avons été particulièrement impressionnés
par votre professionnalisme sur la scène
du crime, et par la qualité du rapport que
vous en avez fait. Vous semblez avoir pas
mal d'expérience en ce domaine.

L'air désabusé, un peu triste même, il
anticipa la question d'Amélie.

– Et vous vous demandez ce que je fais

à l'E.R.I.C où je passe plutôt mon temps
à dresser des contraventions ?

– C'est un peu ça, oui.

L'amertume du ton était maintenant
perceptible.

– Avant d'arriver ici, j'officiais aux
mœurs, et un jour j'en ai eu marre. Marre
de retrouver des cadavres de prostituées
de seize ans ou moins, battues à mort sur
des tas d'ordures ! Marre de connaître les
macs qui pillent, violent, frappent et
exploitent, sans pouvoir rien faire parce
que les juges ne veulent pas suivre ! Marre
de voir des dossiers de pédophilie se faire
enterrer parce qu'ils mettaient en cause
des personnalités ! Marre de voir des salopards s'en tirer pour des erreurs de procédures ou autres vices de forme... Alors j'ai
plaqué le service.

– Et vous n'avez pas démissionné ?
demanda doucement Boursin, devinant le
sujet encore très sensible.

– Je n'avais pas vraiment l'intention de
le faire. J'aime le métier que j'exerce. Ce
n'est pas la façon de pratiquer de la police
qui me gênait vraiment, mais plutôt celle
d'appliquer la justice. Démissionner revenait à m'avouer vaincu.

– Je vois.

– J'avais eu l'occasion de rencontrer le commandant Baratte, mon patron actuel, à l'occasion de l'une de mes enquêtes, et sa personnalité m'a plu... Alors j'ai demandé à le rejoindre. Au moins, là où je suis maintenant, je peux continuer à aider les autres sans en ressortir écœuré.

– Et ça ne vous manque pas ?

– Quoi ? Le sang ? La pourriture ? Non, pas vraiment. J'en ai un peu trop vu... Ou alors j'étais peut-être trop sensible.

– Pourtant, l'état des corps n'a pas eu l'air de vous poser de problème dans les carrières, constata-t-elle.

Il haussa doucement les épaules d'un air las.

– J'essaie de faire au mieux ce que j'entreprends... Et la situation est tout à fait différente dans le cas présent. C'est un peu comme si l'assassin avait violé mon espace de tranquillité... De plus, il se peut qu'avec le temps j'aie enfin appris à ne plus m'impliquer personnellement dans chaque dossier.

Elle sourit.

– Ce qui veut dire que vous seriez prêt à retourner sur le front ? Celui qui compte réellement.

Il émit un petit rire sec avant de répondre :

– Possible, mais de toute façon, je ne me fais pas d'illusions. Ma carrière est plus ou moins terminée... Lorsque j'ai quitté ma précédente affectation, je l'ai fait avec pertes et fracas... J'avais encore un côté idéaliste et je tenais à faire savoir à tous pourquoi je ne voulais plus jouer. Cette réaction n'a, bien sûr, pas plu à tout le monde. Je venais de passer capitaine... Et je sais que je ne progresserai plus maintenant. On n'aime généralement pas ceux dont on a le sentiment qu'ils crachent dans la soupe.

– Il arrive à tout le monde d'avoir un moment de doute, murmura Amélie, sur le ton de la confidence. Le tout c'est de persister.

– Il m'arrive de regretter de ne pas l'avoir fait. Avec le recul je me rends compte que l'immense majorité de mes collègues de l'époque tentaient de faire au mieux avec le peu qu'on leur donnait. C'étaient des mecs bien et motivés, qui réussissaient de façon surprenante à faire face à cette pourriture, sans se faire éclabousser.

Cela n'appelait pas de commentaire et

elle le sentit. Les deux flics restèrent silencieux, plongés dans leurs pensées respectives.

– Tout cela n'a plus vraiment d'importance, maintenant, avoua Moureau, au bout d'une minute, changeons de sujet et parlons plutôt de votre enquête... À qui pensez-vous avoir affaire ?

L'exposé de son interlocuteur avait rappelé à Boursin certains des moments pénibles qu'elle avait connus au cours de sa carrière et qu'elle revivait maintenant. Elle eut du mal à se reconcentrer sur son sujet.

– J'en saurai plus dès qu'on aura identifié la femme, hésita-t-elle. Pour l'instant on peut avancer plusieurs hypothèses : une histoire de vengeance liée ou non à l'hôpital, en rapport ou non avec l'accident qui s'est déjà produit dans la pièce, ou bien dépotoir de tueurs en série, ou bien règlement de comptes entre « cataphiles »... La seule chose dont je sois réellement certaine pour le moment, c'est qu'aucun membre du corps médical de Broussais ne manque à l'appel. Et aucun malade ne semble s'être évaporé dans des circonstances inhabituelles, ces dernières semaines.

– Oui, approuva-t-il, je pense que vous avez raison de rester prudente.

– Cependant, poursuivit Boursin, deux choses m'interpellent vraiment. D'abord, pourquoi ce délai entre les deux meurtres ? Et ensuite, compte tenu de ce décalage, pourquoi le meurtrier a-t-il déposé le second cadavre à côté du premier ? L'écart de temps peut correspondre à un profil de tueur en série, mais le type de victime est totalement différent. D'un côté, nous avons un homme noir, costaud de plus de cinquante ans et de l'autre, une femme blanche d'une quarantaine d'années. J'ajoute que nous n'avons relevé aucune manifestation de symbolique sexuelle... à l'exception de celle de la fresque, bien sûr.

Il tapotait nerveusement le rebord de son assiette avec sa fourchette. Un bruit désagréable, songea Boursin qui fut heureuse de le voir s'interrompre rapidement.

– Peut-être un tueur en série féminin ? supposa-t-il. Si je m'en réfère à ce que j'avais étudié dans ma précédente vie professionnelle, elles n'attribuent, contrairement aux hommes, aucune connotation sexuelle à leurs crimes. D'autre part, même la façon de donner la mort est

compatible : bulle d'air dans les veines.
Pas vraiment un truc de mec ça...
Quoique...

– J'imagine que vous pensez à quelqu'un du genre « ange de la mort », à ces
infirmières qui tuent leurs patients. Mais
ça ne colle pas. D'abord, comme je vous
l'ai dit, aucun malade ne semble avoir
disparu dans des conditions bizarres.
Ensuite il faut quand même une certaine
force pour trancher la tête et les mains de
façon aussi précise... Ce geste de décapita-
tion me conduit d'ailleurs à me poser un
certain nombre de questions. Si le meurtrier l'a fait uniquement dans le but de
retarder l'identification, ça ne correspond
pas non plus à la mentalité du tueur en
série qui se fiche, en général, qu'on reconnaisse ou non ses victimes. À moins qu'il
ne soit organisé et ne les connaisse déjà...
Inversement, s'il voulait conserver des
trophées...

Moureau approuva d'un grognement.

– Comme quoi, poursuivit-elle, on peut
spéculer dans tous les sens. Seule l'identification des victimes nous permettra
d'avancer. Il faudra aussi répondre aux
deux questions que je juge primordiales :
pourquoi le tueur a-t-il déposé les deux

victimes au même endroit, à deux moments différents, et d'où tient-il sa connaissance des lieux ?

– Je ne peux bien évidemment pas y répondre, dit-il après réflexion, mais il n'a, à mon sens, pas vraiment pris un risque important. En effet, si nous avions découvert le premier cadavre, il l'aurait su, ne serait-ce qu'en lisant les journaux.

– C'est vrai. Enfin on verra. En attendant il faut qu'on retrouve les parties manquantes, les vêtements et, éventuellement, le billot.

– C'est ce que nous essayons de faire... Mais s'ils sont passés par l'hôpital, comme on peut le penser, nous n'aurons aucune chance... Trop de temps s'est écoulé.

– Malheureusement oui, admit-elle. Je me suis renseignée. Les déchets d'activités de soins hospitaliers sont éliminés dans des conteneurs en plastique incinérables de trente ou soixante litres, à fermeture définitive inviolable. Le ramassage ainsi que la destruction se font quasiment à flux tendu... Résultat, on ne retrouvera rien.

Elle soupira puis avala le reste de sa tasse de café.

– Bon, je suis désolée, mais il faut

maintenant que j'y aille. Vous aviez raison, capitaine : j'avais besoin de déjeuner et c'était bien agréable.

– Olivier, reprit-il.

Elle le considéra calmement.

– D'accord, concéda-t-elle enfin. Mais je n'ai pas l'habitude de tutoyer sans vraiment connaître. Vous serez Olivier... lorsque nous serons seuls. Et moi, c'est Amélie... Dans les mêmes conditions, précisa-t-elle.

– Adjugé !

Elle se leva.

– Bon, maintenant où se trouve le serveur ?

– Vous n'en avez pas besoin, Amélie, dit-il.

Elle secoua la tête.

– Pas question ! Je suis peut-être vieux jeu, mais je tiens à payer ce que je consomme.

– Vieux jeu veut dire se laisser inviter... Pas le contraire.

– Eh bien ! je suis « jeune jeu » alors, dit-elle par-dessus son épaule.

Elle prit la direction du bar, le laissant attablé, encore amusé du ton de l'échange.

8

Paris – 17 juin – 18 h 00

Amélie hésitait entre deux émotions contradictoires : exaspération ou amusement. David ne semblait pas se rendre compte ou, plus prosaïquement, se fichait de savoir s'il dérangeait ou non. Dans le doute, elle conserva un ton neutre :

– Comment as-tu fait pour obtenir mon numéro de portable ?

Elle l'entendit rire à l'autre bout de la ligne.

– Je dispose de quelques amis très serviables. Tu n'imagines pas les miracles possibles en échange de deux places de choix pour la finale du championnat de France de rugby.

Ce n'était donc pas François qui lui avait donné le renseignement !

– Tu étais supposé passer par le standard...

– Qui avait pour instruction de bloquer

les appels. J'ai essayé. Mais on ne sépare pas David Meyer d'une jolie femme.

Elle ne put s'empêcher de sourire.

– Mais non, David, ce n'est pas ça. Je me trouve simplement en réunion... Je te rappelle.

Et elle raccrocha, sans un mot de plus. Il était temps de continuer son compte-rendu. Roger Salens, son adjoint, ainsi que François Simeoni semblaient en avoir déjà fini avec leur analyse des résultats toxicologiques. Son patron la dévisageait même avec curiosité.

– Je vois que ton téléphone fonctionne à nouveau, marmonna-t-il.

– Désolée de l'interruption.

– C'était Meyer ?

– Oui.

– Qu'est-ce qu'il veut ?

– Je ne sais pas. Je ne m'attendais pas à ce qu'il dispose de mes coordonnées personnelles.

François émit un petit rire étouffé.

– Pas vraiment une surprise. Pour David, se procurer ce genre de renseignements est aussi simple que, pour nous, obtenir le casier judiciaire d'un suspect.

– Je m'en rends compte, accorda-t-elle.

Il se racla la gorge, avant de poursuivre :

– Retournons à nos moutons. Donc, si j'en juge d'après les résultats de l'examen, nous pouvons maintenant émettre une supposition sur la façon dont les victimes ont été amenées à l'abattoir. Traces résiduelles de gamma-hydroxybutyrate de sodium chez la fille, à en croire les analyses reçues.

– Le GHB... La drogue des violeurs est utilisée comme hypnotique en l'occurrence, précisa Salens.

– Oui, accorda Simeoni. Un sacré boulot, en tout cas, d'être encore capable de la repérer après autant de temps. Contrairement aux autres stupéfiants, elle est évacuée rapidement par l'organisme. Si je me souviens bien, elle reste moins de six heures dans le corps humain et un mois dans l'ADN des cheveux. Or on n'a pas de tête.

– J'ai posé la même question au labo, acquiesça Boursin, et ils m'ont répondu qu'ils avaient usé d'une nouvelle méthode expérimentale, qui leur permet de détecter des traces ailleurs que dans les cheveux, là aussi sur une durée d'un mois à peu près. Au niveau des poils pubiens, en fait. En tout cas, ils sont certains de leur analyse ce qui veut dire que les victimes auront pu accompagner leur tueur dans les galeries sans qu'il ait eu besoin de les porter ou qu'elles tentent de se défendre.

– Bien compris. Transmets-leur toutes nos félicitations ! ordonna le commissaire. Et passons à la suite, maintenant. Je dois vous presser car j'ai un train à prendre pour Marseille, dans un peu plus d'une heure. Roger, tu commences...

Le lieutenant Salens prit quelques secondes pour rassembler ses idées. Cette attitude correspondait d'ailleurs tout à fait à sa nature. Homme réfléchi et pondéré, il avait conservé de ses origines lilloises une forme de bonhomie qu'un suspect peu informé aurait pu prendre pour de la placidité. À tort ! Comme tous ceux qui officiaient à la Crim', Roger avait bien bourlingué avant de rejoindre le Quai des Orfèvres où il s'était rapidement révélé bûcheur méticuleux, incisif, auquel peu de détails échappaient. Le genre à lire les petites lignes d'un contrat d'assurance ! Certes, sa rondeur morphologique en faisait la cible de quelques quolibets affectueux, mais la course à pieds n'était pas de son monde et il compensait son manque d'activité sportive par un esprit de synthèse et d'analyse qui avait peu d'égal dans la maison.

– J'ai passé la plus grande partie de ma journée à l'hôpital Broussais, dit-il, où j'ai commencé par interroger tous ceux qui, de près ou de loin, pouvaient avoir l'occasion de s'intéresser à la chaufferie. Il faut savoir que ce local renferme aussi les tableaux électriques, le générateur de secours : c'est la salle des machines ! Officiellement, quatre personnes seulement disposent de la clef, mais la serrure est d'un modèle très courant. N'importe qui peut donc en faire réaliser un double.

– À ce sujet, s'enquit François, j'imagine que tu t'es assuré de ceux qui ont une clef de la porte donnant sur les galeries ?

– Oui, et ça ne donne rien. Tout le monde peut en disposer. Toutes les clefs de l'hôpital, excepté celles du local technique qui sont conservées par les intéressés, sont suspendues sur un tableau situé dans un des bureaux de l'administration.

– Zut ! grinça Simeoni, cela veut dire que tout le personnel de l'hôpital peut y avoir accès.

– Oui, confirma Salens. Pour être précis, les techniciens que j'ai interrogés ne m'ont rien signalé d'intéressant. En revanche, ils ont insisté sur le fait que les galeries n'étaient plus, à leur connaissance, fréquentées par les internes de Broussais.

– Et tu y crois ?

– Difficile à dire, commissaire. Ils estiment qu'ils seraient au courant, si c'était le cas, car tout finit par se savoir dans un hôpital.

– Valable pour un phénomène de masse, contra Boursin. Peut-être pas si un nombre très réduit de personnes sont impliquées.

– C'est une possibilité, accorda Salens. Toujours est-il qu'après les avoir questionnés, je me suis intéressé aux registres de l'hôpital, mais je n'y ai rien repéré d'inhabituel ni en terme de disparition bizarre de personnel hospitalier, ni en terme de patients... Je n'ai, bien sûr, pas pu tout traiter et je dois encore interroger pas mal de monde. J'ai prévu d'y retourner demain.

– Prends Serge avec toi, conseilla Amélie. De toute façon, on va avoir besoin de plus d'effectif. Autant qu'il nous rejoigne tout de suite.

– Oui, confirma Simeoni, pensif... Pour le moment, vous avez raison de creuser dans la direction de Broussais... L'emplacement de la scène du crime, la cause du décès par injection, le GHB parfois utilisé comme anesthésique local, ça fait beaucoup de présomptions dans la même direction... Venons-en aux victimes, maintenant. J'ai cru comprendre que la femme avait été identifiée.

– Oui, François, répondit Amélie. Je viens d'obtenir son nom, elle s'appelle Isabelle Dervier, elle était psychiatre de profession. C'est tout ce que je sais d'elle, avec le fait qu'elle ne faisait partie ni des malades ayant été hospitalisés récemment, ni du personnel soignant de Broussais. Je verrai, tout à l'heure, ce que je peux dénicher de plus sur elle.

Simeoni prit tout son temps pour réfléchir, hésitant de toute évidence à préciser sa pensée.

– À cet égard... Je sais que la règle ne le recommande pas et que je ne devrais donc pas en parler, mais si j'étais en charge de l'enquête, je crois que j'utiliserais David...

Les deux flics, surpris par cette proposition, l'interrogèrent du regard. Tout le monde était au courant des relations

entre Meyer et Simeoni, et connaissait les
réputations de probité et de professionnalisme de l'un comme de l'autre. Mais de là
à ce qu'un commissaire principal suggère
d'informer un journaliste ! François avait
raison de parler de règle, dans le sens où
cette pratique existait dans les faits mais,
en général, de façon beaucoup plus discrète et officieuse.

— C'est-à-dire ? finit par demander
Boursin, sans vouloir préjuger plus avant,
consciente que son patron n'avançait pas
ouvertement l'idée de cette petite transgression en raison seulement de leur
amitié.

— Si Dervier nous est inconnue, expliqua Simeoni, et qu'il s'agisse d'une personne reconnue dans la société civile, un
journaliste sera mieux informé pour nous
procurer rapidement des détails sur sa
vie... Et David saura rester discret !

Boursin entendit clairement le raisonnement. Il est vrai qu'ils étaient en
mesure, eux, d'obtenir tous les antécédents judiciaires d'Isabelle Dervier, mais
s'il devait s'avérer qu'elle était inconnue
dans leurs fichiers, les bases de données
officieuses du journaliste permettraient

certainement d'obtenir plus rapidement les informations nécessaires.

– Ce n'est pas idiot, accorda Salens de bonne grâce. Ça nous ferait certainement gagner du temps.

Amélie hésita, pondérant sa réponse. De toute façon, la décision lui apparte- nait. Certes, elle se devait de rendre compte à ses patrons des progrès de l'en- quête, mais elle restait bel et bien en charge du dossier et, de fait, responsable de toute décision sur la méthode.

– Ok ! trancha-t-elle finalement. Je vais d'abord voir si elle est connue chez nous. Puis en fonction du résultat, j'aviserai.

Simeoni approuva, sachant qu'il tenait là l'une des raisons pour lesquelles il appréciait tant Boursin. Un policier extra- ordinaire, une femme dure à la tâche mais qui n'hésitait pas, quand le besoin s'en faisait sentir, à transgresser sa propre conception de l'éthique pour avancer. Cette idée le fit d'ailleurs sourire. La transgression comme outil de progrès ! Il jeta un rapide coup d'œil à sa montre. Il ne lui restait qu'une question à poser, puis il devrait se précipiter à la gare. Encore une histoire bien pourrie en perspective.

– Qu'en est-il de la seconde victime ? interrogea-t-il.

– Aucun progrès pour le moment, confia Amélie. Rien qui corresponde dans le fichier des personnes disparues. Seule Dervier y figurait.

– Dervier y figurait ? s'étonna François. Depuis combien de temps y était-elle fichée ?

– Deux semaines, à peu près.

– Un peu court pour être enregistrée au fichier. C'est assez inhabituel.

Amélie en était tout à fait consciente. Il fallait des motivations réellement sérieuses pour que la police acceptât de considérer comme disparu, un adulte qui s'était évaporé depuis si peu de temps... Peut-être une possibilité de piste ?

– Je sais, répondit-elle. Mais je n'en connais pas encore la raison. En tout cas, c'est une des premières choses que j'ai l'intention de vérifier.

– D'accord, accepta Simeoni. Et puis ?

– Rien de plus, dit-elle.

– Alors, je dois y aller. N'hésitez pas à me passer un coup de fil si nécessaire.

– Nous n'y manquerons pas, sourit Salens.

– Maynard sera de retour dans deux jours au plus tard... Bonne chance !

Patrick Maynard, leur patron à tous, commissaire divisionnaire et numéro un de la Brigade criminelle. Actuellement, en déplacement à l'étranger pour assister à une réunion au sommet regroupant l'élite des brigades criminelles européennes.

Sur ces mots, François se leva et enfila rapidement sa veste, avant de quitter la pièce et partir vers une autre scène de crime.

9

Paris – 17 juin – 22 h 00

« Un coup à se faire traiter d'esclavagis-
te ! », me dis-je ironiquement en constatant que, malgré l'heure tardive, deux
jeunes journalistes se tiennent encore à
leur table, la tête dans le guidon, s'échi-
nant probablement à compléter quelque
papier urgent dans la perspective de l'édition du lendemain, ou plutôt, compte
tenu de l'heure, du surlendemain.

Considérant la disposition de leurs
bureaux, à quelques pas seulement du
bocal vitré de Michel Ramier, j'en conclus
qu'il s'agit de débutants. Certains pourraient être tentés de dire que c'est pour
mieux jouer au garde-chiourme, mais je
sais, pour bien le connaître, qu'il a surtout
le souci de les avoir à l'œil afin de mieux
les former, de les empêcher de dériver,
comme il dit. Michel, c'est l'homme qui,
sous des dehors parfois rudes et peu porté

aux concessions, entretient l'âme d'un pédagogue. Il supporte et tolère l'erreur, à la seule condition qu'elle ne se reproduise pas ; la leçon doit être retenue la première fois, sous peine d'une colère homérique ou, pire, d'une indifférence glaciale. En dehors de ça, c'est aussi un journaliste de très grande qualité qui n'a pas encore touché sa limite d'incompétence bien qu'il ait atteint le poste de rédacteur en chef de l'un de nos plus grands quotidiens nationaux.

Je m'approche de l'un des petits jeunes. Le gars a dû sentir ma présence car il s'arrête de tapoter frénétiquement pour me regarder. Je ne l'ai jamais rencontré, celui-là. Il convient de dire aussi que je ne viens plus très souvent dans ces locaux et ne suis pas vraiment au contact des nouvelles générations de scribouillards. J'exerce en « free lance » et, même si Michel, en dehors d'être un ami proche, est aussi l'un de mes gros clients, je ne travaille pas que pour lui.

J'interroge l'apprenti journaliste :

– Salut ! « La plinthe » est là ?

Il me dévisage sans mot dire, à l'évidence étonné.

– Votre vénéré rédacteur en chef est-il
là ?!

Son visage s'éclaire d'un sourire perspi-
cace tandis que son regard se dirige vers
l'aquarium.

– Là-bas, monsieur.

Je sais que le gus va maintenant consulter son dico. Plinthe : bande de faible saillie courant à la base des murs d'une pièce.
La façon dont nous, les anciens, surnom-
mons respectueusement Michel Ramier.
Faut dire qu'au niveau toiture, il tient plutôt du bunker que du gratte-ciel. Un mètre
soixante-cinq peut-être, mais compensant
sa petite taille par une immense énergie
et un grand professionnalisme. Sa plume
fut, pendant longtemps, l'une des plus
incisives du Landerneau journalistique.

Il m'a vu arriver et m'attend dans son
bocal.

– Arrête de dissiper le personnel, veux-
tu ! grogne-t-il en guise de salut.

– Il faut bien que quelqu'un s'occupe
d'eux et les informe des coutumes de la
maison.

Il se demande certainement quelle
connerie j'ai encore inventée, mais n'ose
me questionner à ce sujet.

– Tu as quelque chose pour moi ? me demande-t-il enfin.

– Tu as quelque chose pour moi ? lui demandé-je, en retour.

Il soupire et s'agenouille devant un meuble bas, placé derrière lui, dont il fait coulisser la porte et d'où il extrait une bouteille de whisky ainsi qu'un gobelet de carton blanc qu'il me tend, apercevant, au passage, le projet d'article que je viens de poser sur son bureau. On appelle ça un échange de bons procédés. L'alcool de son bureau n'est pas vraiment destiné à sa consommation personnelle, parce que Michel est malade. Pas un truc trop grave, mais une de ces cochonneries qui touche l'intestin et le contraint à faire attention à ce qu'il ingère. Un Crohn, ça s'appelle. Toujours est-il qu'après avoir placé mon postérieur sur un des coins de son bureau, je me sers une copieuse rasade. Pendant ce temps, il commence à parcourir mon texte.

– Je prends, dit-il, après avoir fini de lire.

– J'accepte, dis-je, avant de m'expédier une bonne lampée de liquide ambré derrière la cravate, pour sceller l'accord. Façon de parler, bien sûr, la dernière occasion qui m'ait été donnée de porter ce type d'appendice vestimentaire remonte à l'Antiquité !

– Tu vas poursuivre sur cette affaire ? s'enquiert-il.

– Probablement. Ça ressemble plutôt à une histoire intéressante pour moi. Pas tous les jours qu'on retrouve des cadavres décapités à Paris. Ça fait un peu Highlander, ce truc-là.

Qu'est-ce que je n'ai pas dit ! Il ne perd jamais le nord, mon Michel, et sa remarque suivante me le confirme, s'il en était besoin :

– Ça pourrait être un bon surnom pour le tueur.

– Sauf que dans le film, le mec appartient plutôt au camp des gentils, ce qui n'est pas vraiment le cas, ici. Il faut que je trouve autre chose. J'y réfléchirai.

– Tu sais que les lecteurs adorent qu'on baptise les méchants.

– Oui, ça les rassure. Ils ont l'impression de mieux les connaître s'ils peuvent les nommer. Un petit côté... ami de la famille qui a mal tourné.

– Ça ne te dérange pas si j'intitule quand même le papier : *Highlander-sur-*

Seine... ou quelque chose de la même veine.

J'hésite.

– Je ne sais pas... Attends encore un peu... Laisse-moi le temps de voir si je ne peux pas trouver autre chose. Si tu mets ça comme titre au premier article, le nom va lui coller à la peau et on ne pourra plus s'en défaire.

Il concède.

– Ok, je patienterai. Sinon, à part ça, comment vas-tu ?

– Toujours un peu bousculé, mais je gère.

Il se marre, un rien cynique.

– C'est sûr qu'il n'y a pas beaucoup de chômage dans ton genre littéraire.

– Eh oui ! Ça aurait même tendance à en devenir un peu déprimant.

– Et c'est d'ailleurs pour ça que tu bois, blague-t-il.

– Je ne bois pas, je savoure en épicurien les bonnes choses de la vie.

– En parlant des bonnes choses, comment vont les amours ?

– C'est un peu Waterloo morne plaine, en ce moment. Beaucoup de tchatche mais pas beaucoup de conclusions.

Il explose de rire.

– Faut croire que les filles deviennent plus intelligentes, si elles ne se laissent plus prendre à tes boniments.

– Tu parles ! J'ai pris tellement de râteaux dans ma vie que je pourrais me reconvertir dans le jardinage. Quant à être intelligentes, elles l'ont toujours été... surtout quand elles me choisissent. Non, je déconne ! En fait, je crois surtout que c'est moi qui change. Je n'ai plus le même désir et ça ne remonte pas à hier.

– Ça nous arrive à tous. Prends du Viagra !

– Je ne parlais pas de ça.

– Je sais, dit-il. Je te charrie.

– Une femme m'a avoué, une fois, que j'étais meilleur amant que mari. J'y ai cru un moment, mais je commence parfois à me poser des questions.

Il sifflote, ironique.

– Eh bien ! Si on m'avait dit un jour que j'entendrais ça, je n'y aurais pas cru ! Là, tu nages vraiment en pleine déprime.

– Pourquoi ? Je me contente de spéculer sur le fait que je n'ai peut-être pas encore rencontré la bonne personne.

– Ou alors, tu es trop affirmé dans tes façons de vieux garçon pour supporter une contrainte quelconque.

– Possible... Et pour toi, comment ça se passe ?

– Nous avons fêté nos vingt ans de mariage. Ça roule.

– Parfois je t'envie.

– Et parfois je t'envie aussi. Comme quoi l'homme n'est jamais satisfait de sa condition.

– Je suis d'accord.

Il commence à s'agiter, réalisant sans doute que le temps file.

– C'est bon d'échanger nos souvenirs d'anciens combattants, mais j'ai une édition à boucler, moi. Et si je veux passer la vingt et unième année, il faut que j'y mette du mien pour essayer de rentrer avant minuit... Tu as besoin de quelque chose d'autre ?

– Oui. Je voudrais consulter tes bases de données. J'ai besoin de renseignements sur quelqu'un.

– Qui ?

– Une femme qui s'appelle Isabelle Dervier. Une psy.

– Psychopathe ou psychiatre ?

– La seconde catégorie.

– N'est-ce pas ? ironise-t-il, je t'avais dit que tu finirais par te rendre compte que tu en as besoin.

– Encore une fois, tu as eu raison.

– Un rapport avec Highlander ?

– Tu vois, tu commences... et puis après tout, pourquoi pas ? Ok, on peut garder le nom. Dans mon prochain papier, je mentionnerai simplement qu'il s'agit d'un Highlander dénaturé afin que Christophe Lambert ne nous fasse pas un procès. Et pour répondre à ta question : non, aucun rapport.

En me communiquant l'identité de la femme découpée, Amélie a été très explicite. Pas de publication pour l'instant ! Et ce genre de consigne, je respecte aujourd'hui comme je respecterai à l'avenir ! Il est hors de question que je trahisse cette confiance. Sans même tenir compte de l'aspect proprement déontologique et professionnel, je n'ai pas du tout envie de me fâcher avec cette fille, sur un plan personnel. La revoir chez François après tant de temps, de bonne humeur, vive et éveillée malgré sa fatigue, m'a permis d'apprécier le fait que la femme était encore plus attirante, après avoir déposé le masque du flic.

Toujours est-il que Ramier ne me croit pas complètement, mais il fait semblant. Il ne me fera pas d'enfant dans le dos, de toute façon. Ce n'est pas à nos âges et avec notre histoire qu'on va commencer à se jouer sur le poil.

— Assieds-toi où tu veux ! me dit-il. Tiens, tu peux utiliser ces codes d'accès !

— Merci, jeune homme.

— De rien ! dit-il. Fais-moi un petit coucou en partant.

Je remets mon gobelet à niveau, puis sors de son bureau. Le petit jeune que j'ai interpelé en arrivant est toujours là et me détaille avec curiosité. Maintenant largement souriant, il a dû trouver la définition recherchée. Je lui fais un clin d'œil rapide et me pose sur le premier bureau qui se présente, à la recherche des mes informations.

10

Paris – 18 juin – 08 h 00

« C'est pas une heure pour réveiller un honnête travailleur ! » me dis-je, en déboulant avec retard dans le café où m'attend mon rendez-vous. Faut dire qu'ayant la chance de travailler en indépendant, je ne suis pas du genre à me lever aux aurores.

Examen rapide des lieux avant de l'apercevoir : elle a pris place dans un renfoncement, à une table discrète d'où elle peut examiner les arrivants, et s'attaque à un petit déjeuner plutôt copieux. En me dirigeant vers elle, je croise le loufiat et la désigne du doigt.

– La même chose pour moi, s'il vous plaît.

Le gars approuve sans un mot et précipite son uniforme de pingouin ainsi que ses cheveux grisonnants et gominés vers la cuisine, près du bar gainé de bois.

Amélie n'a pas levé la tête, toute à son omelette, mais n'a pu manquer mon arrivée, à voir l'accueil qu'elle me réserve.

– Je te dispense d'excuses pour ton retard.

Je me cale aussi confortablement que possible sur mon siège tout en jetant un rapide coup d'œil à ma montre. Plus d'un quart d'heure, pas mal pour une première ! Je relève le museau pour affronter le reproche de ses yeux verts. Elle me détaille longuement. Je reste silencieux, stoïque. Je vais probablement en prendre pour mon grade.

– Alors, David, pas de sourire aux lèvres, ce matin ? finit-elle par me susurrer, un rien caustique, trahissant son arrière-pensée : « Tête de déterré, cheveux coiffés à la dynamite, et habillé à la dernière mode des égouts de Paris... le journalisme de qualité se perd vraiment. »

Je ne peux lui contester le droit à une certaine forme de revanche, aussi je continue de me taire et me contente de l'observer. Elle ressemble plutôt à une gravure de mode, façon policière. Je finis par me justifier :

– J'ai eu un peu de mal à émerger, ce matin.

– Ça se voit.

– Mais toi, par contre, tu es délicieuse.

Elle ne relève pas et attend la suite qui ne tarde pas :

– J'avais le choix entre être encore plus en retard à notre premier rendez-vous, celui qui peut changer une vie, ou alors m'apprêter avec soin, ce qui aurait pu entraîner un autre effet secondaire.

– Lequel ?

– Tu n'aurais pas apprécié mon côté naturel, mais seulement retenu une composition artificielle et apprêtée...

Elle fait la moue, plutôt dubitative. Je suis en train de me raccrocher à toutes les branches possibles, mais je fais ce que je peux.

– Bon, accorde-t-elle. Après tout, dans le genre ébouriffé, tu ne présentes pas encore trop mal. J'ai vu pire.

– Merci de votre bonté, ma gente dame.

Son ton se fait d'un coup plus direct, plus cassant. Trêve d'enfantillages ! On entre dans le vif du sujet et je n'ai même pas bu mon café !

– Maintenant une petite précision avant qu'on aborde le sujet d'Isabelle Dervier... J'ai confiance en toi dans la mesure, bien sûr, où je te connais un peu, mais

aussi et surtout, sur la très forte recommandation de François. Et les modalités
de notre entraide éventuelle devront être
les mêmes à mon égard que celles que tu
as pour lui.

J'essaie de calmer sa méfiance.

– Je n'imaginais pas les choses autrement. Fais-moi la grâce de me considérer
comme un professionnel. Ce n'est pas la
première fois que j'aborde ce genre de
sujet avec un policier.

Elle réplique avec insistance :

– Mais c'est la première fois que moi,
j'aborde ce genre de sujet avec un journaliste. Alors je tiens à ce que les choses
soient claires et entendues.

– C'est noté, accepté et enregistré...
Peut-on passer à autre chose ?

– On peut. À voir la taille de ton porte-
documents, j'espère au moins que tu as
trouvé des informations sur Dervier.

– Rien ne t'échappe ! Et c'est même
pour ça que je me suis couché tard cette
nuit... et que j'ai failli arriver en retard à
notre rendez-vous, ne puis-je m'empêcher
d'ajouter...

Elle préfère se taire. Je lui tends
l'épaisse chemise :

– Tu peux la garder. C'est pour toi.

Elle ouvre, farfouille dans les photoco-
pies, examine et demande :

– Si tu me résumais...

Un petit coup de fourchette dans l'omelette qui est en train de refroidir. Puis, un
second parce qu'elle est bien bonne !

– Isabelle Dervier, quarante-deux ans,
née à...

Elle me coupe sèchement :

– Je connais déjà son état-civil, je te
remercie. C'est le reste qui m'intéresse.

« Et la tendresse, bordel ! » me dis-je,
un peu agacé. Mais elle a raison, alors je
continue :

– Je te passerai les détails que tu auras
l'occasion de feuilleter plus tard. Disons,
pour résumer, que Dervier est bien une
psychiatre qui a exercé la plus grande partie de sa vie en hôpital. Depuis dix ans,
elle travaille, ou plutôt travaillait avant sa
mort, dans une UMD.

Elle relève brusquement la tête :

– UMD ? Le terme me dit quelque
chose...

– Unité pour malades difficiles. Il en
existe quatre en France. On y regroupe la
crème des malades mentaux, tous ceux
qui doivent être surveillés très étroite-

ment du fait de leur danger potentiel pour la société.

– Des prisons asiles en quelque sorte ?

– Un peu ça, sauf que les détenus ne représentent, grosso modo, qu'un quart de la population des UMD. Tout malade mental, virtuellement dangereux, peut être hospitalisé en UMD si le besoin s'en fait sentir. Dans la limite évidemment des places disponibles, et c'est là que le bât blesse.

– À savoir ?

– Il y a bien plus de 400 malades dangereux en France mais seulement 400 places en UMD. Aussi, le choix est le plus souvent difficile et certains patients sont soit relâchés dans la nature, considérés comme guéris, soit transférés dans d'autres structures psychiatriques plus légères, si les risques sont considérés comme moindres.

– D'accord. Donc isabelle Dervier travaillait dans une UMD ?

– Oui. À Sarreguemines.

– Elle y faisait quoi ?

– Médecin psychiatre. Je n'ai pas d'autres détails pour le moment.

Boursin s'empare de sa tasse de café et la déguste lentement. J'imagine facilement les connexions qui s'animent dans sa tête.

– C'est tout ? Ou est-ce que tu as recueilli d'autres informations ?

– Dervier avait plutôt bonne réputation dans son milieu. En tout cas, elle publiait pas mal d'articles, participait même comme intervenant à certains colloques. Toutes les communications que j'ai pu retrouver se trouvent là. C'est tellement technique que j'ai eu du mal à comprendre le titre même de certaines d'entre elles.

– Je vois, murmure-t-elle. En somme, elle passait sa vie entourée de psychotiques, psychopathes, schizophrènes et autres paranoïaques. Et j'imagine que nombre d'entre eux sont, un jour, sortis de cet UMD et certains ont pu souhaiter la revoir.

– Oui, c'est possible ! La décision du maintien ou non d'un malade en UMD relève d'une commission départementale de suivi médical, qui donne son avis au préfet qui a le dernier mot.

– Il va falloir que je creuse un peu ces procédures. J'avoue ne pas y connaître grand-chose.

– C'est ce que je fais aussi, Amélie. En tout cas, ça ne simplifie pas notre dossier.

Elle ne relève pas l'utilisation du possessif commun, mais se contente de réfléchir à voix haute :

– Il peut, bien sûr, y avoir un rapport, mais on ne peut pas négliger non plus la possibilité qu'il s'agisse d'autre chose sans que ses occupations professionnelles aient un lien avec sa mort.

Après un long moment de silence, je l'interroge à mon tour.

– Et de votre côté, vous avez découvert quelque chose de particulier ?

Elle hésite longuement avant de répondre, balançant entre plusieurs hypothèses. Je la sens toujours sous l'effet d'un débat intérieur. Ce n'est pas la première fois que je suis confronté à une personne face à ce genre d'hésitation et je sais que je ne suis d'aucune utilité, donc je me tais sagement... et, exceptionnellement, j'attends qu'elle se décide.

– Dervier apparaissait bien dans le fichier des personnes disparues. Elle est venue à Paris, deux semaines plus tôt, à l'occasion d'un congrès de psychiatrie où elle devait faire une communication. Elle a assuré sa prestation, puis s'est évaporée. Il n'y a pas vraiment eu de recherches.

Elle était majeure et ça pouvait être une aventure amoureuse.

– Qui a déclaré sa disparition ?

– Son mari. Il y a une semaine, à peu près. À mon avis il a dû beaucoup insister pour qu'on l'incorpore si rapidement au fichier.

– Peut-être du fait de son métier.

– Probable.

– Et c'est tout ?

– Oui, c'est tout, pour l'instant... Excepté que nous sommes aussi à la recherche d'un homme noir d'une cinquantaine d'années.

– C'est-à-dire ?

Elle n'hésite plus... Elle m'explique.

11

Sarreguemines – 20 juin – 10 h 00

Les canards font bombance depuis deux jours ! Je ne parle pas des palmipèdes, mais bien de ces feuilles de papier recouvertes de signes d'imprimerie qui contribuent au règlement de mon loyer. Les journaux en somme, dont les tirages explosent.

En effet, un petit plaisantin, excessivement bien renseigné, a pris l'initiative de mettre en ligne sur une cinquantaine de sites Internet, judicieusement choisis, une liste à peu près exhaustive de tous les délinquants sexuels et autres pédophiles ou violeurs qui vivent libres et en bonne santé après avoir été relâchés pour bonne conduite ou fin de peine. Tous les grands quotidiens en ont reçu une copie !

Autant dire que c'est la révolution, non seulement dans la rue, mais dans les rédactions. Doivent-ils publier ou non ?

Les avocats spécialisés sont déjà sur les dents pour en apprécier les risques éventuels, pendant que les scribouillards font des heures supplémentaires pour vérifier les informations. Pour l'instant, la discipline tient encore et personne dans la presse n'a osé divulguer les noms, se contentant seulement de commenter l'événement.

Le plus hypocrite – et j'en ris encore – ou le plus habile peut-être, a été Michel Ramier qui n'a, bien sûr, pas publié la liste proprement dite, mais s'est contenté de renvoyer ses lecteurs aux sites concernés. En conséquence, ces adresses sont maintenant prises d'assaut et les imprimantes fonctionnent à plein régime. Certains de ses concurrents ont même repris l'idée à leur compte dans leur édition suivante, regrettant sans doute de ne pas y avoir pensé les premiers.

Le Garde des Sceaux a même dû réagir, tout comme les syndicats de la magistrature, menaçant des foudres de la justice tout média qui diffuserait l'information. Les commentaires lénifiants ont repris le dessus dans la presse, mais le public ne s'en contente pas. Il veut savoir et s'en amuse même, sauf quand il se rend

compte que le gentil monsieur du troisième, qui vit seul et est toujours ser-
viable, porte le même nom qu'un violeur
récidiviste qui vient de purger dix années
de cabane et réside dans la même agglomération.

On signale déjà plusieurs cas de bastonnades et deux incendies volontaires de
domiciles, incitant les personnes, dont le
nom figure sur la liste, à se terrer dans
le premier trou venu, au risque même de
l'homonymie. Il vaut mieux ne pas s'appeler Lionel Durand et vivre à Alençon dans
l'Orne, si un autre Lionel Durand, lui-
même déjà condamné pour pédophilie et
mentionné sur la liste, habite la même
ville. Ce qui a valu à l'innocent Lionel
arborant un magnifique coquard, de
connaître son heure de gloire à la télévision, où il a tenu à préciser qu'étant père
de trois enfants, il comprenait tout à fait
le subit mouvement d'humeur, mais qu'il
insistait pour qu'on ne le confonde plus
avec « l'autre », avec lequel il n'avait rien
à voir.

Je viens de joindre Michel Ramier au
téléphone. Il est encore plus survolté qu'à
l'accoutumée, mais sa direction générale
lui a interdit de publier la fameuse liste.

La seule chose qu'il ait pu me confirmer, c'est qu'elle est bel et bien authentique, que toutes les vérifications se sont révélées positives et que, pour avoir réuni ce genre d'informations sans éveiller les soupçons, il fallait que le plaisantin soit quelqu'un de très haut placé ou dans la police, ou dans la justice. Et encore ! Cette recherche avait dû lui demander beaucoup de temps pour rassembler, fragment par fragment, tous les renseignements. L'opération avait sûrement été préparée de longue date. D'autre part, certains des sites concernés ne sont pas directement hébergés en France, empêchant donc toute mesure répressive d'interdiction.

N'ayant absolument aucune envie de m'apitoyer sur le sort de tels individus, je ne peux m'empêcher de sourire en marchant vers mon nouvel objectif, une petite maison de banlieue plutôt coquette, dont le jardin m'apparaît méticuleusement entretenu. C'est un écrin de lumière contrastant avec la grisaille du ciel. C'est là que réside le mari d'Isabelle Dervier qui a accepté de me recevoir sans hésiter.

La porte est ouverte par une adolescente d'une quinzaine d'années qui me dévisage sans un mot. Je suppose qu'il s'agit de la fille de la maison, son regard est rempli de tristesse. Elle est mignonne mais son soleil intérieur me paraît pour l'instant éteint et c'est bien compréhensible.

– Bonjour, mademoiselle.

Elle continue de me regarder en silence et tandis que je m'apprête à engager la conversation, un homme d'une bonne cinquantaine d'années se profile derrière elle. Sa voix est grave, tout comme son air.

– Monsieur ?

– Louis Dervier ? Je suis David Meyer.

– Je vous attendais, dit-il. Veuillez entrer !

Il se penche vers sa fille et lui parle d'une voix douce.

– C'est un ami, Julie, et je dois m'entretenir avec lui quelques minutes. Tu veux bien retourner un peu dans ta chambre ?

La jeune fille acquiesce silencieusement et s'efface pour me laisser entrer.

– Première porte à gauche. Installez-vous au salon ! me guide-t-il. Je n'en ai pas pour longtemps.

J'obtempère et me retrouve ainsi dans une salle de séjour à l'image de la maison,

sobre, douillette et accueillante. Le plan-
cher est recouvert, par endroits, de tapis
aux motifs orientaux. Les meubles sont
plutôt d'époque et de bon goût, pas osten-
tatoires. Et les murs – excepté celui qui
est occupé par une somptueuse bibliothèque en acajou – sont ornés d'un assortiment de toiles de style résolument
moderne.

Je ne peux m'empêcher de noter la présence d'un cadre, posé sur une commode
et voilé de crêpe noir. Il entoure le visage
d'une femme aux traits décidés qui sourit
à l'objectif. Ses cheveux bruns masquent
une partie du visage mais laissent percevoir deux yeux pétillants, couleur
caramel.

– Mon épouse, prononce la voix de
Louis Dervier derrière moi.

Je me retourne sans commenter et
constate qu'il me fait signe de prendre
place.

– Vous voulez boire quelque chose ? me
demande-t-il, l'air fatigué.

– Non merci... D'abord, je voudrais
vous transmettre toutes mes condo-
léances. Je suis vraiment et sincèrement
désolé.

Son petit geste de la main peut signifier beaucoup de choses !

– J'arrive à peu près à encaisser... C'est surtout très dur pour Julie qui vénérait sa mère...

– Elle lui ressemble beaucoup...

– Oui...

De longs moments de silence témoignent de sa tristesse. Il semble attendre que je m'exprime.

– Dans ces circonstances, je ne peux que vous remercier d'avoir accepté de me recevoir. Je comprends que ce n'est pas facile... La dernière personne qu'on ait envie de rencontrer dans ces cas-là, c'est bien un journaliste...

Sa tête est inclinée, comme celle d'un boxeur un peu sonné. Même s'il se dégage de sa personne une impression de solidité, je sens qu'il doit mobiliser toute son énergie pour atténuer, autant que possible, le choc et le chagrin éprouvés par sa fille. Et cela malgré son deuil ! C'est dans ces moments de solitude, même partagée avec un inconnu, qu'on peut se permettre de s'abandonner à sa peine. Je le laisse récupérer en silence.

Soudain, il se relève pour aller fermer la

porte du salon. Ses yeux sont maintenant braqués sur moi.

– Votre visite n'est pas une gêne, me dit-il brutalement. Je la considère plutôt comme un mal nécessaire, c'est pourquoi j'ai accepté de vous recevoir... Après tout, ce n'est pas tous les jours qu'on retrouve dans les catacombes deux corps décapités...

Il a du mal à prononcer ce dernier mot. Sa voix se brise. Il respire profondément, tente de reprendre son souffle. Je ne suis que le simple spectateur de ses émotions. Je voudrais pouvoir l'aider mais je ne peux pas. Il me faut attendre qu'il se rétablisse et se contrôle.

– C'est une histoire dont tout le monde parle. Si je refuse une interview à l'un d'entre vous, il va inévitablement s'écrire et se dire n'importe quoi, ce que je souhaite éviter pour ma fille. D'ailleurs, vous autres, journalistes, vous n'avez pas tardé à surnommer le tueur, Highlander !

Je lève la main pour m'exprimer, mais il ne m'en laisse pas la possibilité :

– Je sais ce que vous avez écrit et je vous en remercie.

Et de me citer un passage complet de mon second article sur le sujet !

« L'être humain a toujours souhaité, afin de se rassurer, pouvoir donner un nom à ses pires cauchemars et ce cas-là ne déroge pas à la règle. Ainsi est-il venu à l'esprit d'un certain nombre de représentants des médias, ce surnom de Highlander, totalement inadapté et qui, malheureusement, ne peut plus maintenant être effacé... Par contre, il est clair, et je ne le dirai jamais assez, qu'il s'agit là d'un Highlander totalement perverti, dénaturé, d'une créature du mal qui n'a et n'aura jamais rien à voir avec le personnage incarné à l'écran par Christophe Lambert. Le Highlander qui a tué et mutilé dans les catacombes est un tueur sadique, un boucher. Ne l'oublions jamais... »

J'en reste soufflé ! C'est quasiment du mot pour mot ! Et en même temps, je suis furieux contre moi-même. Je savais bien qu'en laissant Michel utiliser ce nom, je faisais une connerie, mais j'avais été trop négligent pour en chercher un autre ! Et de me jurer, quoiqu'un peu tard, qu'on ne m'y reprendrait plus.

Dervier continue :

– Je sais comment ça se passe, monsieur Meyer. Avant de devenir imprimeur, j'ai été moi-même journaliste. Nous faisions donc partie de la même chapelle, ce qui explique que je ne vous jetterai pas la pierre. Par contre, il m'apparaît important de mettre les choses au point et c'est pour ça que vous êtes là. Je préfère répondre aux questions d'un seul d'entre vous plutôt que d'en voir plusieurs raconter n'importe quoi.

– Je comprends.

– Si je vous ai choisi, c'est d'abord parce que vous avez été le premier à écrire des articles de fond sur cette affaire, mais c'est aussi parce que, disposant encore de contacts dans les médias, je me suis renseigné. Et les commentaires que j'ai entendus à votre sujet ont été, en général, plutôt positifs. Vous n'avez pas la réputation de faire dans le sensationnalisme à la petite semaine, mais d'enquêter et de vous en tenir aux faits. J'espère que vous ne ferez pas mentir ce portrait.

– Je comprends.

– Alors, posez vos questions, poursuit-il. Je tenterai d'y répondre du mieux possible.

Je prends mon temps pour reprendre mes esprits, après cet assaut verbal. Il ne s'impatiente pas, attend en silence, bien adossé dans son fauteuil, les yeux fixés sur moi.

– En premier lieu, monsieur Dervier, je reconnais mon entière responsabilité sur la façon dont ce tueur a été dénommé... J'ai commis une erreur en notant que son mode opératoire était, en partie, comparable à celui de Highlander. Mais surtout je ne me suis pas opposé à ce que ce nom apparaisse dans le titre de mon premier article.

– C'est très honnête à vous de le confesser, monsieur Meyer, sachant bien évidemment que deux autres articles parus, ce matin même, dans deux journaux différents, mentionnaient déjà le même surnom. Donc, si vous ne l'aviez pas fait, un autre l'aurait écrit... En tout cas, j'apprécie votre sincérité.

Ces excuses faites, il faut passer maintenant au cœur de l'entretien :

– La police vous a rendu visite, j'imagine ?

– Oui, hier. Une femme de la brigade criminelle.

– Le capitaine Boursin ?

– Oui, c'est ça.

– Et que vous a-t-elle dit ?

– Qu'elle avait la certitude que l'un des

deux corps retrouvés dans les catacombes était celui de ma femme et qu'il ne servait à rien que je me rende à Paris pour identifier un cadavre qui n'avait plus de tête...

Il reprend son souffle, comme pour atténuer la douleur réveillée par ces mots.

– ... Qu'ils me préviendraient quand je pourrai la récupérer et qu'ils ne disposaient pas, pour l'instant, d'autres informations. Elle m'a aussi demandé des détails sur la vie d'Isabelle, susceptibles de l'aider à retrouver le coupable, bien sûr.

Sa voix est maintenant empreinte d'amertume.

– Si ça peut vous rassurer, monsieur Dervier, je connais bien les gens de la Crim', et le capitaine Boursin en est l'un des meilleurs représentants. Si elle vous dit qu'elle trouvera, c'est qu'elle fera tout pour réussir.

Il hausse les épaules, d'un air peu convaincu.

– On verra... Je ne peux qu'espérer, de toute façon.

– Que faisait exactement votre épouse à l'UMD de Sarreguemines ?

– Médecin psychiatre. Elle avait en charge un certain nombre de patients,

tous plus atteints les uns que les autres...
Et elle occupait le poste de numéro deux
de l'Unité.

– Ce n'était pas trop dur ?

– Pas facile bien évidemment, mais elle
avait la vocation. La psychiatrie, c'était sa
vie et c'est pour ça qu'elle avait choisi la
voie la plus difficile : l'UMD... Vous ne
pouvez pas imaginer la joie qu'elle ressentait quand un de ses patients montrait des
signes notables d'amélioration ou quand
elle arrivait enfin à communiquer avec
eux. C'était une véritable référence dans
son métier... J'avoue que les fous c'est pas
vraiment mon truc. Surtout ceux qu'elle
fréquentait. Certains avaient même
commis des actes abominables, mais elle
parvenait presque à nous les rendre sym-
pathiques.

– Donc une grande communicatrice ?

– Oui, on peut la décrire comme ça. La
communication est la base même du soin
psychiatrique. Si on ne peut pas créer une
relation entre le patient et le médecin, il
est impossible d'espérer le soigner. La
première condition, c'est de permettre
cette ouverture. Et ça, Isabelle le faisait à
merveille.

– Elle n'a jamais connu de problème particulier avec un malade ?

Il soupire lourdement.

– Une ou deux fois, peut-être. Des morsures, des griffures, peut-être même des coups, mais rien de bien sérieux. Vous ne pouvez pas imaginer à quel point les patients sont surveillés là-bas. Le personnel soignant ne se retrouve jamais seul avec un des résidents. C'est une attention, une tension de tous les instants.

« Charmante ambiance ! » me dis-je en aparté, le laissant enchaîner :

– Mais ça ne la gênait pas... C'était une femme très forte qui anticipait et acceptait les risques de son métier.

– Je vois. Aucun autre incident notable ?

Il réfléchit quelques secondes, et son regard devient alors fuyant :

– Non, rien, hésite-t-il.

Avec mon expérience d'intervieweur, je sens qu'il y a autre chose. Une histoire qu'il ne souhaite pas me révéler.

J'insiste.

– Vous en êtes sûr ?

– Certain.

Son regard se détourne, mais le ton est ferme. Sa décision est prise. Il ne m'en parlera pas. Peut-être un épisode dont il craint qu'il ne salisse la mémoire de sa femme ? Tout est possible. Parlons d'autre chose.

– Votre épouse se rendait souvent à Paris ?

– Oui. Très fréquemment. Elle y avait de nombreuses réunions, que ce soit avec d'autres psychiatres... ou avec des éditeurs... Elle travaillait sur plusieurs livres à paraître.

– Je vois. Elle y connaissait donc beaucoup de monde.

Il acquiesce :

– Plutôt, oui. C'était une figure respectée de sa profession. De plus, elle avait le contact facile.

– À propos de fréquentations, lui connaissiez-vous des amis noirs ? Ou des connaissances ? Ici ou à Paris ?

Il me fixe, interloqué.

– Non, pourquoi ? C'est curieux, d'ailleurs, parce que le policier d'hier m'a posé la même question sans me donner plus de détails.

« Normal ! » me dis-je. La couleur de la seconde victime ainsi que le type de narcotique utilisé pour les amener tous les deux à « l'abattoir » n'ont pas été divulgués à la presse par la police. Comme de coutume, ils conservent par devers eux un certain nombre de détails qui les aideront à identifier avec certitude le tueur, le cas échéant. Boursin m'en a informé mais je n'ai, pour l'instant, absolument pas le droit d'en faire état. Je dois donc trouver une explication plausible, tout en restant conscient que la surprise de Louis Dervier n'est peut-être que dissimulation. Après tout, la grande majorité des homicides est le fait de proches de la victime, à commencer par le conjoint. Celui-là n'a pas vraiment l'air d'un tueur et sa souffrance semble réelle, mais mon expérience m'a appris que tout peut être envisagé.

Dans le doute, je mens aussi sincèrement que possible :

— C'est normal, monsieur Dervier. En fait, un témoin pense l'avoir vue en train de discuter avec un groupe de personnes, à la fin de la conférence. Avant sa disparition. Celles-ci ont été, en grande partie, identifiées, mais il manque encore quelques noms dont celui d'un homme noir qui se trouvait là. Ça n'a probablement rien à voir mais ça permet de « fermer des portes ».

Je ne sais pas s'il m'a vraiment cru. En

tout cas, il accepte mon explication.
Encore une question délicate en ces circonstances, je fais mine d'hésiter et il
insiste.

– Oui ?

Puis, devant mon silence :

– Quelle autre question voulez-vous
encore poser, monsieur Meyer ? s'impa-
tiente-t-il.

Je m'éclaircis la voix avant de demander, avec la subtilité qui me caractérise :

– Pardonnez-moi cette question difficile mais, vous savez que certaines personnes seraient susceptibles de penser
que le mari peut être un suspect de premier choix dans la disparition de sa
femme...

Il ne me laisse pas finir.

– Et vous voulez savoir comment mar-
chait notre couple ? C'est logique... Pour
dire vrai, le policier d'hier a été bien
moins précautionneux... L'intéressé est
plutôt mal placé pour en parler lui même,
mais si vous questionnez tous nos amis,
je pense qu'ils vous confirmeront que nos
rapports étaient excellents. J'adorais ma
femme et j'étais certain de la réciprocité
de ses sentiments.

– Je n'en doutais pas vraiment, mais

c'était malheureusement une question incontournable.

– J'aurais été étonné de ne pas vous entendre la poser.

Je souris... et je réfléchis. Quelque chose d'autre ? Rien ne me vient à l'esprit pour le moment. Je m'assure qu'il dispose de mes coordonnées, pour le cas où il se souviendrait de quelque élément utile, et prends congé sans avoir revu sa fille...

12

Sarreguemines – 20 juin – 11 h 00

« De la folie ! » se disait Amélie, en détaillant l'attroupement qui s'était formé devant une coquette maison de pierre, la foule gonflant de minute en minute. Déjà quelques tomates et œufs étaient partis s'écraser contre la façade, laissant baver, sur la grisaille des murs, leurs traces bariolées. Heureusement qu'ils n'avaient pas de pavés à leur disposition, sinon ça aurait pu devenir vilain.

Elle savait très bien ce qui ce passait. Comme en témoignaient les hurlements et les injures, cette demeure abritait, sans doute, l'un de ceux qui avaient été désignés à la vindicte populaire comme pédophiles ou délinquants sexuels. Et si la police tardait encore, il n'était pas du tout exclu que cela finisse par tourner au vinaigre. Flic avant tout, même si elle comprenait la colère de ces gens, elle ne pouvait pas assister, sans rien dire, à ce début de lynchage. Or on y venait rapidement ! Les grondements de la foule s'amplifiaient, plus menaçants, plus hystériques. Un homme corpulent et rougeaud, habillé d'une salopette bleue maculée de graisse, haranguait la meute qui pulsait en rythme à chacune de ses phrases. Sous peu, la tension allait devenir incontrôlable !

Amélie avait contacté la police dès qu'elle avait pressenti le drame ; cela faisait près de dix minutes, et ils n'arrivaient toujours pas ! Étaient-ils débordés à ce point ou prenaient-ils leur temps, considérant, comme nombre d'hommes et de femmes dans le pays, que cette engeance méritait la leçon.

Une pierre fusa et vint frapper à l'étage un carreau qui explosa dans un grand bruit de verre brisé. Suivie d'un second, puis d'un troisième projectile !

L'homme en salopette était maintenant collé contre la porte d'entrée et tentait de l'ouvrir ! Amélie ne pouvait plus attendre, il fallait qu'elle y aille, n'était-il pas déjà trop tard ? Elle se rua vers la meute, l'affrontant, brandissant sa carte tout en hurlant : « Police, laissez passer ! » Une façon, pour elle aussi, de dépasser sa propre peur. C'était une chose de se confronter à un ou deux criminels même armés et une autre de faire face à une foule enragée et agressive. Les rangs étaient maintenant beaucoup plus compacts, mais elle continuait à remonter le courant, s'ouvrant un passage à grands coups de coude, ignorant les regards noirs et les invectives, aiguillonnée par les coups sourds qui résonnaient maintenant devant elle. Ils tentaient d'enfoncer la porte ! D'autres s'arc-boutaient contre le mur, essayant d'arracher à pleines mains les volets de fer qui protégeaient les fenêtres du rez-de-chaussée.

Enfin parvenue face au groupe de tête, elle empoigna par l'épaule l'homme à la salopette bleue et le tira violemment en arrière, le déséquilibrant :

– Police, arrêtez ça ! hurla-t-elle.

« Salopette » ainsi que les trois hommes qui s'affairaient sur la porte, se retournè-rent sur elle et, pour la première fois, elle fut prise de panique. Ils n'avaient plus figure humaine et avaient perdu leur indi-vidualité en devenant meute et émeute. Ils se ruèrent sur elle sans réfléchir.

Des mains s'emparèrent d'elle de tous

côtés, puis elle reçut un coup de poing en pleine figure, un autre dans les côtes. Un voile sur les yeux, puis le goût du sang dans la bouche avant qu'elle ne s'écroule à terre, essayant de se rouler en boule pour se protéger des coups de pieds, à peine consciente du bruit des sirènes qui approchaient enfin...

Puis tout s'éteignit...

13

Sarreguemines – 20 juin – 11 h 30

« Qu'est-ce que c'est encore que ce merdier ? » me dis-je sans beaucoup de poésie, mais avec lucidité, tout en découvrant le monumental fatras qui bloque la circulation de cette ville de province pourtant réputée pour sa tranquillité. Une foule compacte a envahi la chaussée, difficilement canalisée par un cordon de policiers. À l'intérieur du périmètre protégé, je distingue le scintillement orangé de gyrophares en rotation et le rouge vif d'un véhicule de pompier. De toute évidence, quelque chose de plutôt sérieux !

– On est en train de se faire un de ces salopards de pédophiles !, me hurle un passant.

Curiosité journalistique encore plus éveillée que de coutume ! J'ai entendu parler de ces bastonnades qui défraient la chronique en ce moment, dans plusieurs coins du pays, et que la police a bien du mal à endiguer, mais n'ai jamais eu l'occasion de m'y trouver mêlé. Ça pourrait éventuellement me fournir un bon sujet de papier.

Je réussis enfin à garer mon véhicule puis, marchant d'un bon pas tout en slalomant entre les groupes de résidents hilares qui commentent l'événement, je finis par atteindre le cordon principal de policiers. Ayant oublié à la maison ma tenue de postier, et ma carte de presse faisant aussi peu d'effet qu'une ratatouille à un cannibale, je ne peux qu'observer le spectacle de loin. Après un examen détaillé de la scène, de la maison incriminée, du grouillement d'uniformes autour des voitures de police, du véhicule du SAMU et malgré les cordons protecteurs, le sang de mon David Meyer préféré ne fait qu'un tour pour me propulser vers le véhicule de secours d'urgence, tout en me faufilant sous le bras d'un des policiers.

Le représentant de la loi hurle dans mon dos mais ne peut quitter son poste, sous peine de rompre la chaîne et d'ouvrir une brèche laissant passer la foule. Je remarque deux de ses collègues qui se détachent du groupe d'uniformes devant moi pour m'intercepter, mais il est déjà trop tard pour eux ! Brandissant toujours ma carte de presse comme un sésame bien futile, je suis déjà à l'arrière du véhicule du SAMU pour tomber, au sens figuré bien entendu, sur une vieille copine qui se tient assise sur un brancard : des médecins soignent Amélie Boursin, mal en point !

Elle a l'œil gauche presque complètement fermé, l'arcade sourcilière ouverte, la lèvre inférieure coupée, pour autant que je puisse le distinguer au travers du sang séché qui lui recouvre une bonne partie du visage. Et elle se tient les côtes. Certainement pas parce que je la fais marrer. En tout cas, je vois dans son œil resté valide qu'elle aussi m'a reconnu.

Pas le temps de déclamer une tirade, vu les deux oiseaux en uniforme qui me tombent dessus, me maintenant les bras dans le dos et semblant se ficher de ma carte professionnelle comme de leur dernier ticket perdant de PMU. Je hurle :

– Je suis journaliste et cette femme est une amie !

J'aurais été aussitôt embarqué si une voix forte n'était intervenue :

– Arrêtez !

L'ordre a claqué. Sec. Un nouvel uniforme s'est approché de moi avec quelques galons de plus. Un jeune gradé me fusille du regard.

– Qui êtes-vous ?

– Je m'appelle David Meyer. Je suis journaliste et ma carte de presse est dans mon dos..., ne puis-je m'empêcher de préciser, un tant soit peu agacé moi aussi, notamment par le fait qu'Amélie n'a pas daigné intervenir dans ce charmant débat.

Une lueur de surprise se lit dans les yeux de mon interlocuteur... Il est évident qu'il reconnaît mon nom. Plus de vingt piges à couvrir les affaires criminelles, ça vous pose un bonhomme aux yeux de certains membres de la police. Surtout quand les articles sont d'une telle qualité, n'est-ce pas ?

– Relâchez-le ! ordonne-t-il. Le fait d'être journaliste ne vous donne pas tous les droits, monsieur Meyer.

Il m'assomme en poursuivant :

– Quant à cette femme, elle est en état d'arrestation. Que lui voulez-vous ?

Pas étonnant qu'elle ne soit pas intervenue ! J'en reste sur le flanc, bredouille :

– Vous êtes complètement fou ! Vous savez qui c'est ?

Une lueur d'incertitude dans son

regard, cette fois-ci ! La voix d'Amélie me
parvient tout à coup. Fatiguée, brouillée.
Probablement du fait de l'état de sa
bouche. Essayez de causer avec une escalope à la place de la lèvre inférieure !

– Ne te fatigue pas, David ! Ils ne me
croient pas. J'ai tenté de m'interposer
entre la foule et cette maison. Je me suis
fait tabasser et on m'a volé ma carte de
police ainsi que tous mes papiers.

Le commissaire se demande mainte-
nant s'il n'a pas fait la connerie du siècle !
Il tente de reprendre le contrôle.

– Et qui est cette femme d'après vous,
monsieur Meyer ?

– Je vous présente le capitaine Boursin,
chef de groupe à la brigade criminelle de
Paris.

Le gars est à nouveau muet, incertain.

– Qu'est-ce que c'est que ce merdier ?
ne puis-je m'empêcher d'ajouter avec élégance. De quoi est-elle accusée ?

L'officier a changé de couleur et de ton.
Il m'explique :

– Des témoins nous ont signalé qu'elle
s'était précipitée sur des personnes dans
la foule pour les frapper, et que celles-ci
avaient dû se défendre. En plus, elle était
armée. Une fois qu'elle sera soignée, nous

avons prévu de l'amener au commissariat pour vérifications... Elle n'a aucun papier, se défend-il.

La voix d'Amélie, toujours aussi peu précise, se fait entendre à nouveau :

– J'ai appelé vos services pour leur signaler l'attroupement. Quinze minutes plus tard, personne. Alors j'ai été contrainte d'intervenir pour éviter un lynchage en règle...

Elle ne peut pas poursuivre, un immense grondement couvre soudain tous les autres bruits. Les hurlements, les invectives, les insultes s'amplifient encore : la porte principale de la maison vient de s'ouvrir pour laisser passer un homme d'une quarantaine d'années, encadré par quatre policiers. Probablement la cause de l'émeute. Excepté sa pâleur due à une peur panique, le gars n'affiche paradoxalement pas une tête spéciale. Il présente même un profil de bon père de famille, d'honnête travailleur tel qu'on peut en croiser tous les jours dans nos rues.

Ses protecteurs l'ont précipité dans une voiture de police qui finit par se frayer un passage dans la foule, toute sirène hurlante, protégée par tous les collègues qui

tentent autant que possible de canaliser
cette marée de haine.

Lorsque le calme revient, ma colère
explose ! Je me retourne vers mon interlocuteur policier et lui présente la
situation :

– Vous avez deux façons de jouer la
partie maintenant, commissaire, lui dis-je
froidement. La première, c'est de continuer sur cette voie, auquel cas vous allez
vous faire déchirer. L'article que je vais
écrire sur votre façon de faire, ainsi que
sur l'héroïsme du capitaine Boursin, fera
de vous la risée de la France entière. Une
femme flic, seule qui tente de contenir
une foule d'émeutiers et que vous voulez
arrêter pour l'interroger, sous prétexte
qu'elle aurait tenté de casser la figure à
plus d'un ? Imaginez-vous ce que ça va
donner une fois écrit dans un canard ?
J'enquêterai sur l'heure à laquelle elle
vous a appelé, sur l'heure à laquelle vous
êtes intervenu, sur votre comportement
en arrivant et sachez que j'obtiendrai facilement tous les détails nécessaires.

Ses lèvres sont blanches de rage. Je me
suis encore fait un ami, mais il ne peut
rien dire car il sait que j'ai raison et que
toute agression, maintenant, ne pourrait

qu'aggraver son cas. D'autre part, je lui ai parlé d'alternative, donc il sent que je vais lui offrir une échappatoire.

Je précise donc pour adoucir un peu ma diatribe et de façon à ce qu'il sauve un minimum la face :

– Je suis le premier à détester ce que peut représenter cet homme que vous venez d'embarquer... Je sais que vous êtes probablement du pays, vous connaissez tous les gens d'ici, vous partagez leurs idées comme beaucoup d'entre nous et vous vous êtes probablement dit que ça ferait du bien à ce gars de se faire secouer. Mais à cet égard, vous avez failli à votre mission qui est de faire respecter la loi. C'est en tout cas comme cela que je le présenterai.

Il ne dit toujours rien.

– La seconde façon de vous en sortir, c'est de rendre son dû au capitaine Boursin. Après tout, elle a fait votre boulot. Et si je décide de parler de cette histoire dans le journal, j'oublierai de mentionner votre comportement, franchement déroutant. Elle aura officiellement reçu toute votre aide même si vous avez été retardé à l'arrivée... Et pour finir, si vous doutez encore de son identité, veuillez contacter d'urgence soit le commissaire principal François Simeoni, soit le commissaire divisionnaire Patrick Maynard de la Crim' à Paris. Je suis persuadé qu'ils sauront reconnaître sa voix… Et la mienne.

Il sait qu'il ne peut que céder. Il n'a pas le choix et dispose du minimum d'intelligence pour le reconnaître. Il acquiesce, le visage toujours aussi fermé, avant de conclure humblement :

– Oui, vous avez raison. Je pense que cette situation très confuse a failli nous faire commettre une erreur que vous nous avez épargnée. J'espère que le capitaine Boursin ne nous en voudra pas trop de cet épisode… Enfin, si vous avez besoin de quelque chose, faites-le moi savoir.

– Merci, commissaire, lui dis-je. Je n'y manquerai pas.

Je m'adresse à son dos car il a déjà tourné les talons et s'éloigne d'un pas rageur, suivi de près par ses deux argousins. Ce dont il ne se rend pas vraiment compte, c'est que je lui ai sauvé la mise. Si François avait dû s'occuper de ça et entendre ce que j'ai entendu, ça ne se serait pas terminé aussi facilement pour l'intéressé.

Je reviens vers Amélie qui me considère

de son œil resté ouvert. Les toubibs qui ont suivi tout le débat avec attention, n'ont rien dit, se contentant de procéder aux examens et aux soins. Elle porte un petit pansement sur l'arcade sourcilière.

– J'ai apprécié ta réaction à sa juste valeur, murmure-t-elle, à l'évidence amusée. Je ne pense pas que François aurait pu faire mieux dans le genre remontage de bretelles.

Une grimace de douleur raidit son visage et j'interroge anxieusement l'un des médecins agenouillé à son côté.

– C'est quoi le verdict ?

– J'ai aussi apprécié à sa juste valeur, me répond-il avec un clin d'œil.

– Je ne parlais pas de ça... pour elle ?

– Je sais, jubile-t-il. Je plaisantais. Mais il était temps que quelqu'un houspille un peu ce gars. Il se prend pour la réincarnation d'Eliot Ness avec, en plus, les dents qui rayent le parquet. Après ce que vous lui avez passé, et devant deux de ces hommes, il est complètement grillé. Dans quelques jours, toute la ville sera au courant.

Je hausse les épaules.

– Il y a des idiots partout. Pas de raison que seule la police soit épargnée.

– En tout cas, intervient Amélie, il

connaît bien au moins une des personnes
qui m'a attaquée.

– C'est-à-dire ?

– Il parlait avec lui un espèce de patois
local, inspiré de l'allemand. Or je
comprends un peu cette langue... Ils se
tutoyaient.

– Je vois... Je te laisse décider si tu veux
en parler ou non à François.

– Merci bien, ironise-t-elle.

Elle n'a pas totalement perdu son fichu
caractère, mais son sourire tourne court.
Ça ne doit pas être facile avec la lèvre
ouverte. Le médecin s'exprime à nouveau
pour répondre à ma question :

– Elle a eu de la chance et ça ne devrait
pas être trop grave. L'hématome sur l'œil
se résorbera assez rapidement et elle
n'aura pas besoin de points de sutures sur
l'arcade. Ça saignait beaucoup, comme
toujours, mais la plaie est plutôt réduite.
Même diagnostic pour la lèvre quoique ça
prendra un peu plus de temps à cet
endroit. Par contre, il faut l'emmener à
l'hôpital. Elle a besoin d'un fond de l'œil
et surtout d'une radio des côtes. Je n'ai
pas l'impression qu'il y ait de fracture et
je parierai plutôt pour une fêlure.

Le second toubib est revenu vers elle et

lui tend un verre d'eau ainsi que deux comprimés.

– Prenez ça, s'il vous plaît ! C'est pour la douleur.

Elle obéit. Après tout, n'est pas Rambo qui veut. Finalement, cette nana est un vrai brin d'acier.

Les secouristes plient bagages, me demandant de les prévenir quand nous serons prêts à partir. Il m'est difficile de lui parler en me tenant debout devant elle, alors je m'agenouille pour me mettre à sa hauteur et la dévisage avec attention.

– Quoi ? demande-t-elle.

– Tu as vraiment mauvaise mine.

– Merci du compliment.

– Pas de quoi.

– Tu veux toujours m'inviter à dîner ?

– Plus que jamais. Tu n'as jamais été aussi belle.

C'est un peu gros, c'est certain, mais ça produit toujours son effet. Elle pousse un petit cri étouffé.

– Ne me fais pas rire, ça fait mal. Tu as une voiture, David ?

– Oui.

– Alors, emmène-moi loin d'ici !

– Hors de question ! Je vais te suivre jusqu'à l'hôpital, puis je te transporterai où tu voudras. À l'hôtel, le temps de te remettre car, à mon avis, tu vas avoir du mal à reprendre la route aujourd'hui.

Sous l'effet d'une frayeur rétrospective, ses lèvres tremblent et je suis certain que c'est aussi le cas des mains qu'elle tient toujours cachées sous une couverture. Je ne sais plus où j'ai pu lire que la différence entre les couards et les héros, c'est que ces derniers tremblent après.

Elle a dû lire dans mes pensées.

– J'ai vraiment eu la trouille, me confie-t-elle.

– Je m'en doute. Je n'aurais jamais osé faire ce que tu as fait... Je n'ai pas ce courage.

– Cette stupidité, tu veux dire ?

– Entre le courage et la stupidité, il n'y a souvent que l'espace de la réussite. Tu as réussi, donc c'est du courage.

– Je n'ai pas tout compris, mais j'y réfléchirai demain, murmure-t-elle.

Sa tête commence doucement à dodeliner sur ses épaules, ses yeux se ferment. « Probablement l'analgésique qui commence à faire son effet », me dis-je. Je me penche vers elle et l'aide à s'allonger confortablement sur la civière. Les deux médecins sont maintenant revenus, probablement impatients de quitter l'endroit. Je m'écarte pour les laisser manœuvrer. Ils empoignent chacun une extrémité du brancard et entreprennent de le faire coulisser à l'arrière du véhicule. L'un d'entre eux monte à son côté. Le second m'interroge du geste, mais je secoue la tête. J'ai mon propre moyen de transport. Alors il referme la porte, me laissant planté là, à les regarder partir.

14

Sarreguemines – 21 juin – 14 h 00

« Une vraie forteresse », songea Amélie en s'approchant à petits pas de l'enceinte de l'UMD, un haut mur de béton au sommet duquel était tendue une rangée de fils électrifiés. Ce qu'elle savait de la population qui résidait en ces lieux expliquait la raison de ce décor peu avenant. Elle trottinait comme une petite vieille, car la douleur qu'elle ressentait encore à son côté gauche l'empêchait d'aller plus vite, sans parler des plaies de son visage, encore lancinantes. Vingt-quatre heures à peine s'étaient écoulées depuis qu'elle s'était fait casser la figure ; et comme, pour ce rendez-vous, elle n'avait pas souhaité prendre ses calmants, sa démarche n'en était pas facilitée.

Ces péripéties lui avaient au moins permis d'en apprendre un peu plus sur David Meyer. Pourquoi était-il sur les lieux au même moment qu'elle ? Son métier l'avait amené à interviewer le mari d'Isabelle Dervier et tandis qu'il se dirigeait vers la gare pour y rendre sa voiture de location, l'attroupement avait éveillé sa curiosité journalistique. En tout cas, il s'était montré particulièrement utile et avait même dévoilé un côté attentionné et aux petits soins, bien surprenant chez lui. Il avait attendu plus de six heures à l'hôpital avant qu'elle ne se réveille, puis pendant que les médecins l'avaient radiographiée, pour conclure finalement à une absence de fractures faciales, même si une côte était bel et bien fêlée. Ensuite, Meyer l'avait emmenée dans un hôtel où il avait pris soin de réserver deux chambres.

Elle s'amusa douloureusement au souvenir du grand moment où il l'avait mise au lit dans son état. Sa timidité relative, lorsqu'elle lui avait demandé de l'aider à se déshabiller, au point qu'elle avait dû lui rappeler qu'à plus de quarante ans, il avait certainement déjà vu des femmes en slip et en soutien-gorge !

Ils avaient discuté le temps qu'elle s'endorme et, contrairement à ce qu'elle pensait jusque-là, il s'était révélé sensible et n'avait rien à voir avec l'image du machiste égocentrique qui en irritait plus d'un. Certes, c'était un homme qui aimait séduire et adorait se « vendre », mais contrairement à tant d'autres, il le faisait sans tromper son monde. Il s'exposait tel qu'il était en se fichant, extérieurement du moins, de la façon dont les autres pouvaient le percevoir. On prenait ou on jetait, mais c'était le vrai David Meyer qui se mettait à l'étal. C'était d'ailleurs sa véritable nature, brute de décoffrage, qui justifiait la fidélité indéfectible que nombre de ses amis lui témoignaient, Simeoni en tête. Elle commençait à comprendre ce sentiment...

Ce matin, à son réveil, il était encore là. Avait-il passé la nuit dans le fauteuil, près de la fenêtre ? Elle ne le savait pas, son sommeil médicamenteux ne lui ayant pas permis de s'en rendre compte. En tout cas, après lui avoir apporté son petit déjeuner, il lui avait annoncé qu'il devait rentrer à Paris mais qu'il s'était arrangé auprès de la réception pour qu'une personne soit disponible à tout moment, si elle avait besoin de quelque chose et notamment pour l'aider à s'habiller. Puis, il l'avait quittée avec un sourire, la laissant seule avec un vague sentiment de manque, assez inhabituel chez elle.

Et maintenant, elle allait à son dernier rendez-vous dans cette ville ! Elle aurait dû le faire la veille, mais les événements en avaient décidé autrement. Roger Salens, informé de la situation, lui avait bien proposé de prendre le relais mais elle avait refusé. Il avait d'autres tâches à assurer pour le moment : ses recherches à Broussais n'avaient toujours rien donné. Quant à elle, si elle se sentait endolorie, elle était encore capable de bouger. La journée serait probablement difficile mais elle devait assumer.

Elle fut enfin introduite, après une scrupuleuse vérification d'identité, auprès du docteur Nahon, responsable de l'UMD de Sarreguemines.

L'homme la reçut dans son vaste bureau capitonné. À l'image de son aspect plutôt joufflu, sa voix était ronde et suave, sans aspérités. Il la détailla sans commentaire, la regardant prendre difficilement place dans le fauteuil qu'il lui avait présenté, cela après qu'elle ait décliné gracieusement son aide. Il n'avait pu manquer de remarquer les lunettes noires par un jour de grisaille, sa lèvre gonflée et sa démarche hésitante.

C'est elle qui prit l'initiative d'en parler :

– Je vous prie de bien vouloir excuser les lunettes de soleil, docteur, mais elles me sont indispensables pour le moment.

Il s'enfonça dans son fauteuil de cuir, croisant les mains sur un ventre qu'il tenait plutôt rebondi. Il la fixait de ses yeux noirs.

– Je vous en prie, ça ne me pose pas de problème. J'imagine que c'est la raison pour laquelle vous n'avez pas pu venir hier ?

– Vous devinez bien... Une mauvaise rencontre en ville.

– J'en suis sincèrement désolé. Croyez-moi, Sarreguemines est un endroit où les gens sont généralement très agréables et très accueillants, mais malheureusement on rencontre des imbéciles partout.

– J'en suis convaincue... Vous êtes originaire de la région ?

Il sourit doucement.

– Non, pas vraiment. Je suis moi-même du Sud, mais avec le temps, j'ai appris à connaître et à apprécier les gens du Nord. En fait, ma femme vient de Metz.

– Je vois.

Son regard se fit soudainement plus grave.

– Nous sommes tous atterrés ici de ce qui est arrivé à Isabelle Dervier. Je pense que c'est la raison qui vous amène ?

– Encore une fois vous imaginez bien.

– Et en quoi puis-je vous aider ? Croyez-moi, nous ferons tout ce qui est possible pour vous assister. Ce qui lui est arrivé est absolument infâme.

– Vous devez pourtant en voir de toutes les couleurs ici, si j'en juge par la clientèle que vous hébergez.

Sans qu'il se départisse de son aspect courtois, le ton de Nahon se fit plus cassant :

– Oui, bien sûr. Nous avons des tueurs en série, des pervers sexuels de la pire espèce, même des cannibales, et ce que l'on entend parfois défie l'imagination, mais c'est toujours différent quand ça arrive à quelqu'un que nous connaissons bien et avec qui nous travaillons depuis plusieurs années.

– Et ça vous rappelle sans doute que vous n'êtes pas confrontés à des notions abstraites, mais bel et bien à des crimes horribles, n'est-ce pas, docteur ? ne put-elle s'empêcher de balancer sur un ton plus agressif qu'elle l'aurait souhaité.

Nahon sembla étonné de cette repartie qu'elle n'avait pas pu contrôler. Ses yeux se plissèrent légèrement et il se redressa dans son fauteuil, posant ses deux mains sur la table. Il s'exprimait maintenant avec une douceur de toute évidence calculée, comme expliquant les choses à un enfant. « Son ton professionnel », supposa-t-elle.

– Les psychiatres ne sont pas responsables de l'état de la société, capitaine, et il ne sert à rien de leur en vouloir. Ils ne font que tenter de trouver un remède à certains maux et gérer du mieux qu'ils peuvent une situation dont ils ne font qu'hériter.

Elle ouvrit la bouche pour intervenir à nouveau, mais il leva la main pour lui demander un peu de patience :

– Certaines personnes, policiers ou autres, disent que nous remettons les fous dangereux en circulation ou empêchons des tueurs simulateurs de payer leurs crimes, en les faisant passer pour des déments... Mais êtes-vous seulement informée sur le pourcentage de non-lieux psychiatriques effectivement accordés ?

– Infime, je crois.

– Inférieur à 0,2 pour cent. Ce qui veut dire que sur mille criminels qui invoquent la folie pour s'en tirer, moins de deux seulement sont effectivement reconnus irresponsables pour cause de démence. Quant à la problématique du retour à la rue, que devons-nous faire ? Que pouvons-nous faire ? Nous disposons de quatre cents places sur l'ensemble des UMD de France et il nous arrive régulièrement de nouveaux cas. Rien qu'aujourd'hui, je vais encore recevoir un détenu qui a tué son compagnon de cellule avant de lui manger les yeux. Je ne peux pas ne pas l'accepter et j'ai dû lui trouver une place. Alors c'est vrai, il nous faut faire un tri. Soit nous les réexpédions dans des services psychiatriques moins lourds, ou même dans leur prison s'il s'agit de détenus, soit nous les libérons, si nous considérons qu'il sont guéris.

– Mais peuvent-ils vraiment guérir ?

– Je ne peux qu'y croire ou bien je n'exercerais pas ce métier et surtout pas dans ces conditions. Ceux que nous traitons ici sont les pires d'entre eux. Nous les recevons alors qu'ils sont enfermés dans leur maladie, dans leurs obsessions et

tentons d'établir avec eux une communication, de les forcer à confronter leurs
peurs et leurs crimes. Et certains guéris-
sent effectivement... C'est exceptionnel,
puisque nous soignons ici les plus fortement atteints, mais ça arrive. Bien sûr, ils
doivent demeurer sous médication mais,
au moins, ils ne sont plus dangereux ni
pour les autres ni pour eux-mêmes. Et
c'est cela qui nous importe en premier
lieu.

– Sachant que, s'il y a peu de suivi et
souvent aucune obligation de soins, ils
sont susceptibles de retrouver rapidement
cette même dangerosité ?

Son visage s'éclaira :

– Je constate avec plaisir que vous avez
pris vos renseignements et que vous pouvez au moins apprécier certaines de nos
limites... Il est malheureusement trop
souvent exact que ce sont ces malades
légers qui ne sont pas suivis ou peu
soignés, qui deviennent ces cas extrêmes
dont les méfaits défraient la chronique...
Et la psychiatrie est alors mise en accusation alors que c'est la responsabilité politique qui devrait l'être ! Pour être
honnête, nous autres psychiatres avons
trop souvent le sentiment que l'homme

public tolère un certain nombre de crimes dus à la démence. Lorsqu'il s'en produit un, il fait mine de prendre conscience du problème et il pousse des cris d'orfraie, en chœur avec l'opinion publique. Mais il oublie tout ça au plus vite dès que la crise se calme. Nous, nous sommes toujours là et faisons avec les moyens du bord.

Amélie pondéra le commentaire pendant quelques secondes, consciente qu'il ne lui avait donné aucune raison de se mettre en colère. Le fait qu'elle se sente si mal n'était pas une excuse et il était temps de faire amende honorable :

— Je vous demande de bien vouloir mettre ma saute d'humeur de tout à l'heure sur le compte de la fatigue. Ce que vous venez de me dire éclaire bien des choses.

Il sourit d'un air désabusé.

— Je ne suis pas offensé... J'en ai l'habitude ! Cette façon de réagir est fréquente. Elle est le fruit de la méconnaissance... et le fait que deux psychiatres s'opposent parfois sur un même cas, ne contribue pas à faciliter la compréhension et à donner une image de sérieux.

— À quoi est-ce dû, d'après vous ?

— Nous travaillons dans les profondeurs de l'esprit humain, qui sont immensément complexes et nous n'avons qu'une porte minuscule pour y entrer : les seuls mots du patient. D'où les différences d'interprétation, connaissant la subjectivité du langage. Mais il existe aussi un autre danger, encore plus important à mon sens.

– Lequel ?

– Celui de perdre notre humilité... De vouloir à tout prix prouver que nous pouvons guérir le malade... Face à lui, personne n'a envie d'accepter l'idée d'une quelconque impuissance à le soigner, surtout après avoir tant étudié, et certains en arrivent parfois à prendre leurs désirs pour des réalités. Ils se fient à l'auto-évaluation de leur patient pour estimer sa progression. Et c'est là que de graves erreurs peuvent être commises, notamment avec les psychopathes profonds.

– C'est-à-dire ?

– Le vrai tueur ou violeur en série, le vrai psychopathe organisé est, par nature, manipulateur, narcissique et totalement égocentrique. Parfois extrêmement intelligent, il fera en sorte, pour gagner sa liberté, de dire au psychiatre ce que celui-ci veut entendre.

– Ce qui vous est déjà arrivé ?

– Oui. Une seule fois, mais je ne l'oublierai jamais. Quelques semaines à peine après sa sortie, le gars a violé et tué deux jeunes filles...

– Isabelle Dervier était impliquée dans ce cas ?

– C'était un des patients dont elle s'occupait. Mais pas de façon exclusive. Les malades sont chez nous... rattachés à des zones différentes, en fonction de leur niveau de dangerosité ; tous les psychiatres opérant dans un même bâtiment ont une égale responsabilité. Ajoutez à cela des réunions fréquentes pour évoquer les cas de tous nos patients et vous comprendrez qu'aucun médecin ne se singularise vraiment dans le suivi d'un seul malade.

– Alors pourquoi mentionnez-vous ce cas ?

– Pour mention, justement. Pour mieux vous expliquer ce à quoi nous sommes parfois confrontés... J'ajouterai que le criminel est maintenant décédé en prison, d'où un intérêt limité dans votre recherche...

– Donc ?

– Donc, c'est l'exemple type du cas d'espèce où nous étions tous impliqués et où nous nous sommes tous fait avoir. Je ne cherche pas d'excuses, mais ce gars avait bénéficié d'un non-lieu psychiatrique, ce qui nous pose toujours un problème majeur de conscience.

Amélie lui lança un regard interrogatif, tentant de se concentrer sur l'entretien, malgré son mal de tête persistant. Nahon continua :

– À l'âge de dix-huit ans, cet homme a tué ses parents ainsi que sa sœur et a obtenu ce non-lieu à son procès. Sur décision du préfet, il a quand même été interné d'office chez nous, ce qui, comme vous devez le savoir, est possible pour un malade dont les troubles mentaux compromettent l'ordre public ou la sécurité des personnes. Il est resté ici pendant huit ans avant que nous ne le libérions, étant tous persuadés qu'il était guéri.

– Et il a tué à nouveau.

– Oui, souffla Nahon.

« Pas vraiment un bon souvenir pour lui », songea Amélie. Avait-il l'air véritablement affligé à cause de la récidive ou pour l'accroc fait à sa réputation ?

Amélie tenta de remettre l'entretien sur les rails :

– Revenons-en maintenant au cas d'Isabelle Dervier, si vous voulez bien... À votre
connaissance, a-t-elle eu des problèmes
particuliers avec certains patients ? À ce
propos, je souhaiterais aussi obtenir la
liste de tous ceux qui ont été libérés ces
six derniers mois... ainsi que tous leurs
antécédents judiciaires ou psychiatriques.

– Avec une commission rogatoire, ça
ne devrait pas poser de problème, répondit-il. Je ferai le maximum pour vous
aider, mais je dois respecter les formes
légales. Vous devez comprendre que la
plupart de ces informations relèvent du
secret médical.

– Je comprends tout à fait. Vous
l'aurez.

15

Paris – 23 juin – 16 h 00

La porte du bureau de Simeoni était restée ouverte et Amélie s'y glissa pour l'attendre, quelque peu requinquée par la journée de récupération qu'elle venait de passer chez elle, sur l'ordre formel du commissaire enfin de retour de Marseille.

Depuis deux heures qu'elle était présente dans les locaux du Quai des Orfèvres, elle avait fait le bilan, avec Roger Salens et Serge Dolli, de ce que l'on appelait maintenant communément l'affaire Highlander. Et il était temps de rendre des comptes.

Cette journée de repos forcé lui avait fait le plus grand bien et, au moins, elle ne trottinait plus comme une vieille dame percluse de rhumatismes.

Pour être honnête, sa situation n'était pas si pénible que ça, et elle aurait même pu prendre goût à certaines attentions de son entourage. Comme celle de Roger qui, ignorant ses refus répétés, était exceptionnellement passé la prendre chez elle. Pour un accueil au Quai mémorable : une dizaine de flics, y compris certains qu'elle avait eu peu l'occasion de connaître, étaient venus s'enquérir de sa santé et de ses besoins. Elle tenta cependant de rester lucide, consciente du fait qu'il ne s'agissait pas seulement d'une sollicitude due à son sexe, mais bien de la solidarité de tous les policiers du monde, soucieux de l'un d'entre eux et de ses problèmes, d'autant plus quand celui-ci avait souffert physiquement !

Elle ressentait étrangement une atmosphère d'excitation, sans en deviner l'origine. L'évolution de son enquête, plutôt proche du point mort, n'y était probablement pour rien. Elle disposait bien des dossiers demandés en provenance de l'UMD de Sarreguemines – Serge, muni d'une commission rogatoire était passé les prendre hier –, mais cela ne les avait pas beaucoup avancés. Seulement deux malades avaient définitivement quitté le système psychiatrique ou pénal, l'année précédant la mort de Dervier. Les trois policiers venaient d'analyser longuement tous les éléments à leur disposition. Sans résultat.

François entra dans son bureau pendant qu'elle essayait de mettre de l'ordre dans ses idées. Il grimaça en la regardant, puis prit un air amusé.

– Content de te revoir, Amélie... Pas mal, l'ensemble de couleurs, admira-t-il, caustique. Ça me rappelle ce qui restait de mon visage la seule fois où je suis monté sur un ring de boxe.

Elle sourit, dans la mesure où sa lèvre encore meurtrie pouvait le lui permettre, heureuse qu'il la traite comme il traiterait n'importe quelle autre personne. En la charriant plutôt qu'en la plaignant.

– C'est aussi ce que je me suis dit ce matin, en me levant, dit-elle.

– Au moins, tu as obéi à mes ordres et respecté ton délai de repos... De toute façon, j'avais laissé des consignes strictes... Si on t'avait aperçue à moins de cent mètres d'ici, tu aurais été reconduite chez toi sous forte escorte et gardée à domicile. Ce n'est pas parce que tu es une femme que tu dois t'autoriser à faire ce qu'un mec ne ferait pas... À voir ta tête, ils ne t'ont pas fait de cadeaux.

– Et encore ! soupira-t-elle. Tu devrais voir le reste du corps. Un rêve d'impressionniste !

– Ne me tente pas ! blagua-t-il. Ma femme ne croirait jamais que c'est par sollicitude pour un de mes policiers !

Elle esquissa un sourire. Une mimique qu'il lui avait fallu réapprendre ces derniers jours.

– Sérieusement, comment vas-tu ? demanda-t-il soudain, sur un ton plus soucieux.

– Bien, je t'assure ! Tu n'as pas de raisons de t'inquiéter. Je suis peut-être un peu moins rapide à la course, mais la tête est toujours bonne.

– Je m'en doute... De toute façon, tu sais bien que je ne m'inquiète jamais pour mes hommes, mentit-il sur le ton de la plaisanterie... David m'a simplement posé la question et je lui ai dit que je vérifierai.

– Et lui, que devient-il ? questionna-t-elle doucement, plutôt satisfaite d'entendre évoquer son nom. Il n'avait plus donné signe de vie depuis qu'il l'avait laissée seule dans sa chambre d'hôtel.

– Aux dernières nouvelles, quand il ne t'accompagne pas en voyage d'amoureux à Sarreguemines, il écrit toujours... Il est même assez occupé...

Il avait dit cela sur un ton qu'elle trouva bizarre, mais sans avoir le loisir d'approfondir car il continuait calmement mais fermement :

– Amélie, tu me refais ça et je te promets que je te botterai les fesses tellement fort que tu ne pourras plus t'asseoir pendant dix ans !

– Il t'a donné les détails ! accusa-t-elle.

– Ça, pour donner les détails, il les a donnés, sourit-il, énigmatique.

Un doute affreux commença à l'envahir, un certain nombre d'éléments lui revenaient en mémoire. Des regards, des comportements... Elle n'eut pas le temps de s'en assurer, car il poursuivait :

– Ce que tu as fait était certainement très courageux, mais aussi très con... On ne confronte jamais seule une foule d'émeutiers. Toi la première, en tant que flic, tu devrais savoir ça. Et si j'en juge d'après ce que j'ai... entendu, tu as vraiment eu beaucoup de chance.

L'hésitation ne lui avait pas échappé. Elle pesta intérieurement : « Oh ! non, il n'a pas fait ça ! »

– Il ne l'a quand même pas écrit !

– Si… Parce que tu n'as pas lu le journal ? ajouta-t-il insidieusement.

Il savait bien qu'elle ne l'avait pas lu !

– Les salopards, dit-elle, ne pouvant
s'empêcher de sourire.

– Pourquoi « les » ? interrogea-t-il, réellement curieux. À ma connaissance,
David était le seul à écrire.

– Ils étaient tous au courant, s'exclama-
t-elle. Et ce matin même, quand j'ai
demandé à Roger s'il pouvait me ramener
un journal, il a soigneusement évité de me
porter celui où l'article de David était susceptible de figurer.

Simeoni éclata d'un bon rire franc.

– Bien sûr qu'ils étaient tous au courant ! Ce sont des flics, ne l'oublie jamais !
Et ce n'est pas la première fois qu'ils mon-
tent un charre.

Considérant son air devenu soucieux, il
ajouta sans attendre :

– Pas de panique ! David m'a tout
raconté. Comment vous êtes tombés par
hasard l'un sur l'autre. Il ne voulait pas
te fâcher mais ne souhaitait pas non plus
passer à côté de cette histoire, alors nous
avons trouvé un compromis qui te satis-
fera. Ni ton nom ni le service ne sont men-
tionnés. Nous savons tous de qui il s'agit

bien sûr, mais tu pourras rester modeste auprès de ta concierge. Le ministre est bien évidemment au courant et ça l'arrange grandement.

– Pourquoi ?

Simeoni soupira profondément et ouvrit la bouche pour s'expliquer, soudainement interrompu par la sonnerie du téléphone. Il décrocha et Amélie, au milieu du tourbillon de ses émotions, l'entendit demander : « Deux minutes encore. »

– Moureau est arrivé et je dois le recevoir... Où en étais-je ? Ah oui ! le ministre ! Je disais donc que ça l'arrange puisque n'importe quelle fliquette peut faire l'objet de cet article. Or tu n'ignores pas qu'en ce moment, avec ce fichier qui circule sur Internet, le pays est pour le moins divisé entre les *pour* et les *contre*. Avec, bien évidemment, une énorme majorité de *pour*. Même les flics participent au débat, ce qui semble normal vu qu'ils ne sont pas différents du reste de la population, d'où d'ailleurs le comportement limite de ce commissaire de Sarreguemines... Dans ces cas-là, tous les bienpensants, avocats du pardon des offenses, ceux qui n'ont jamais subi d'agressions en somme, assaillent le gouvernement, lui reprochant de ne pas protéger assez ses concitoyens... Il faut dire que ça s'envenime. On a eu trois meurtres, ces deux derniers jours !

– Oui, j'ai appris ça... Et maintenant le ministre pourra répondre : « Regardez ces policiers qui défendent des pourris au péril de leur vie ! »

Il ne sembla pas relever le sarcasme.

– Tu oublies *pourri*, tu remplaces par *citoyen* et la phrase sera bonne.

– Je ne peux pas oublier *pourri*.

– Mais tu l'as quand même défendu au risque d'y perdre toutes tes dents, conclut-il.

Il soupira, avant de reprendre :

– Amélie, je suis comme toi... J'ai mon opinion. C'est un droit qui nous est accordé à la naissance, dans ce pays. Mais nous sommes flics et devons faire respecter la loi... Et cela avant toute autre considération. C'est ce que tu as fait, c'est ce que je savais que tu ferais et c'est tout ce qui compte.

Elle laissa passer quelques secondes, modérant ses paroles :

– Tu me parles d'opinion, mais qu'en

penses-tu vraiment toi, François ? Nous n'avons jamais réellement abordé le sujet.

Simeoni hésita longuement avant de répondre et Amélie allait retirer sa question quand il reprit, sur le ton de la confidence :

– Tu es une femme, Amélie, n'est-ce pas ?

– Oui, répondit-elle, ne comprenant pas où il voulait en venir.

– Et sexuellement, tu préfères les hommes ou les femmes ?

Elle commençait à en avoir une idée.

– Les hommes, sourit-elle.

– Si demain la loi te dit : « Il est interdit de toucher aux hommes, maintenant tu vas aimer les femmes ! », que feras-tu ?

– Je continuerai à aimer les hommes, mais peut-être que je me cacherai.

– Tu as tout compris ! Pour un malade sexuel ou un pédophile, c'est la même chose. Ils ne peuvent pas changer parce que pour eux, aimer les enfants, faire souffrir des gens est aussi normal que pour toi, aimer les hommes. Ils ne considèrent pas ça comme une déviance, comme une tare, de la même façon que tu ne te considères pas comme anormale. Une infime minorité se fera peut-être soigner, mais donne-leur une seule occasion et ils passeront de nouveau à l'acte.

– Et malgré ça, nous devons les protéger, prononça-t-elle, un peu amère mais comprenant bien qu'ils n'avaient pas le choix.

Il la contra rapidement :

– Nous ne protégeons pas des pédophiles ou des violeurs, nous protégeons des individus qui sont considérés comme ayant payé leur dette vis-à-vis de la société... Nous avons le droit d'avoir nos doutes, nos convictions, mais nous sommes flics avant tout et nous devons faire respecter la loi. Voilà ce que je pense. Et voilà ce que tu as démontré à Sarreguemines.

– Ouais ! grommela-t-elle. Il vaut mieux que je ne réfléchisse pas réellement à ce que mon geste impliquait.

– C'est vrai que rien n'est simple, admit-il. D'un autre côté, si on ne fait rien, que va-t-il se passer demain ? Ce seront peut-être les vieux ? Les homosexuels ? Ceux qui ont les dents cariées ? Laisser faire maintenant c'est ouvrir la porte à tous les totalitarismes...

Le silence s'appesantit sur la pièce, lui

permettant de méditer sur ce qu'il venait
de dire.

– Pas étonnant que tu sois principal,
finit-elle par sourire... Tu réfléchis, toi au
moins.

Il répondit sur le ton de la confidence :

– Remarque extrêmement judicieuse et
opportune qui m'amène au second volet
de notre entretien... J'aurais souhaité pouvoir t'attribuer un blâme pour motif de
conduite remarquablement stupide, mais
au lieu de ça, je me vois contraint d'être
le premier à féliciter le nouveau commissaire Boursin...

Complètement assommée par la nouvelle, elle mit un temps infini à serrer la
main qu'il lui tendait en jubilant. Voyant
qu'elle ne pouvait pas s'exprimer, il
assuma le rôle :

– Plusieurs choses à préciser... D'abord,
ça n'a rien à voir avec ce qui s'est passé
dans le Nord ou avec l'article de David.
Ça faisait un bout de temps que Patrick
Maynard et moi nous battions pour qu'on
reconnaisse tes mérites. Disons que le
ministre a subitement décidé d'accélérer
la procédure. Alors pas de fausse modestie : cette promotion prend, certes, des
formes exceptionnelles, mais elle est plei-

nement justifiée... Et ensuite, elle ne sera officielle qu'à la fin du mois.

– Mais je n'ai même pas le concours ! balbutia-t-elle.

– Tu le préparais, non ?

– Oui, mais...

– Alors, considère que tu as été reçue avec une mention qui sort de l'ordinaire !

Il se leva en souriant. L'entretien était terminé.

– Nous parlerons de Highlander plus tard, dit-il.

– Tu peux me laisser deux secondes... le temps de digérer ça ? demanda-t-elle.

– Oui, mais pas trop longtemps. Je vais chercher Moureau. Je lui ai demandé de venir ici pour discuter un peu. Un de ses anciens patrons est un de mes vieux amis et il est d'accord sur le fait que, malgré son caractère un peu entier, parfois délicat à manier, c'est un très bon pro. Je suis en train de réfléchir à la possibilité de l'intégrer à nos équipes.

Elle ne l'écoutait plus, sous le choc de ce qu'elle venait d'apprendre. Le tourbillon de ses pensées dura encore quelques minutes avant qu'elle n'entreprenne de se lever avec difficulté, mais le cœur léger.

En sortant de la pièce, elle se figea, abasourdie par le spectacle qu'elle avait devant ses yeux ! Au premier plan, leur patron à tous, Patrick Maynard, et toute la Crim' se tenaient rassemblés devant la porte ! ... Et souriaient de cet air épanoui qu'ont tous les potaches du monde qui viennent de réussir une bonne blague...

Elle eut du mal à contenir le flot de larmes qui brouillait son regard mais réussit, après quelques secondes délicates, à garder le contrôle. Derrière le groupe, elle reconnut tout de même la trogne épanouie de David Meyer ainsi que celle d'Olivier Moureau qui, sans être certain de rejoindre le service, n'en avait pas moins réussi à arriver au bon moment pour boire un coup.

« Bravo, commissaire ! » hurlèrent-ils tous en chœur, un vrai bruit de tonnerre qui retentit avec moult vibratos dans une salle habituellement silencieuse.

Puis, faisant bloc autour d'une des leurs, ils l'amenèrent boire un verre.

16

Verdun – 23 juin – 23 h 00

D'aussi loin qu'il s'en souvienne, Julien Weber avait le sentiment d'avoir toujours vécu pour tout contrôler : sa vie, ses émotions, son espace, et il aurait aimé être en mesure de pouvoir aussi contrôler ceux qui l'entouraient, depuis ses rares amis jusqu'aux patients qu'il traitait. Ce n'était pas toujours possible mais il y parvenait généralement. Et c'est ce qui lui rendait d'autant plus insupportable, ce soir, le sentiment d'être passé du statut de chat à celui de souris. C'était une chose de vivre de la psychiatrie, de tenter jour après jour d'analyser les tréfonds de l'âme humaine la plus noire au sein d'un environnement protégé, et c'en était une toute autre de se retrouver assis dans son lit, en pyjama, devant un homme impassible et muet qui braquait une arme sur lui.

Il respira plus profondément, tentant de

se reprendre. Sa conscience et son expérience lui rappelant que la peur ne lui servirait à rien, il valait mieux qu'il se calme de façon à tenter de retourner la situation à son avantage. Après tout, n'était-il pas l'un des meilleurs ? N'avait-il pas été confronté aux pires exemples de folies humaines, qu'il avait réussi, sinon à maîtriser, du moins à apaiser ?

Le roman qu'il était en train de lire quand l'homme avait fait irruption dans sa chambre, glissa le long de la couverture et tomba sur la moquette avec un bruit assourdi, déclenchant comme un déclic dans le silence pesant de la pièce.

– Qui êtes-vous ? Que voulez-vous ? interrogea-t-il.

L'homme ne répondit rien.

– Puis-je me lever ? continua-t-il.

L'inconnu se contenta de secouer négativement la tête, l'observant toujours avec une insistance glaciale. Le terme « disséquer » vint à l'esprit de Weber qui s'ébroua mentalement, tentant de rejeter cette notion parasite. Pas le moment de jouer à se faire peur, ou de se laisser envahir. Il reprenait même doucement du poil de la bête. L'homme ne voulait probablement pas le tuer puisqu'il n'avait pas tiré.

Il semblait s'interroger sur ses choix, à l'image d'un cambrioleur mal renseigné, étonné de trouver quelqu'un dans le domicile qu'il visitait. Le fait qu'il soit habillé intégralement en noir, pantalon et polo, semblait d'ailleurs plaider en ce sens.

À son grand étonnement, sa voix était presque douce. Mais le ton de commandement indéniable.

– Allongez-vous !

Weber hésita, ouvrit la bouche pour s'exprimer.

– Fermez-la ! Et faites ce que j'ai dit ! Sur la couverture ! Je ne souhaite pas forcément vous tuer, mais je le ferai sans hésiter si vous ne m'écoutez pas.

Il obéit, à nouveau anxieux. Une partie de son esprit ne comprenait pas ce qu'il fallait entendre par « forcément ». Il se raccrochait à des fétus d'interprétations. Après tout n'était-ce pas son métier ? Sa perception des choses semblait s'être considérablement affinée, probablement en raison du danger. Les couleurs étaient vives, les sons plus marqués. Il tourna légèrement sa tête appuyée sur l'oreiller, réagissant au pas de l'homme qui s'approchait du lit, remarquant pour la première fois ses gants transparents. Celui-ci était maintenant près de le toucher tandis qu'il tirait de sa poche une petite fiole de plastique dont il déversa le contenu, un liquide incolore, dans le verre d'eau posé sur la table de nuit.

L'homme se recula rapidement... le revolver toujours pointé dans le prolongement de sa main.

– Asseyez-vous et buvez ! ordonna-t-il.

– Qu'est-ce que c'est ? bredouilla le psychiatre en se relevant, ayant de plus en plus de mal à contenir la panique qui l'envahissait...

Il tendit la main vers le verre mais hésita avant de s'en saisir... comme s'il pouvait s'agir d'un serpent venimeux.

L'homme s'assit confortablement dans un fauteuil placé dans un coin de la chambre.

– C'est du GHB, dit-il. En vous réveillant, vous ne vous souviendrez de rien... C'est ça... ou ça, précisa-t-il en secouant son arme.

Weber connaissait la drogue des violeurs, et en savait les effets. Une dose trop importante pouvait être mortelle. Il tenta une nouvelle fois d'ouvrir la bouche.

– Vous avez cinq secondes, dit l'homme

dont le ton ne laissait subsister aucun doute sur ses intentions.

Il n'avait pas le choix. Il s'empara du verre et en absorba le contenu avec difficulté.

– Bien ! dit l'homme. Maintenant, allongez-vous ! Et pas un mot !

Weber obéit, laissant le silence envahir la chambre. Lourd et dense... sans qu'aucun son ne vienne le rompre. Il se sentit partir, éprouvant graduellement tous les effets de la drogue, avant de perdre finalement conscience.

L'homme n'était pas pressé. Il attendit encore deux bonnes minutes avant de se lever et de retirer de sa poche une boîte en métal, de forme oblongue.

À l'intérieur, reposait une seringue dont il s'empara...

17

Paris – 24 juin – 20 h 00

David Meyer « en pleine peau », ce soir !
Il faut dire que j'ai enfin gagné, à l'usure,
le droit de dîner avec Amélie. Elle a fini
par craquer. La dame m'intéresse vraiment ! Et s'il est toujours difficile de préjuger de l'évolution d'une relation avant
même qu'elle n'ait débuté, je sais, au
regard de la qualité de la personne, que je
n'envisage avec elle qu'une relation
durable. Attention, n'exagérons rien, je ne
parle pas encore de mariage, mais
j'aborde notre rencontre dans un état d'esprit qui exclut la seule idée de l'aventure
d'un soir... sauf mésentente exceptionnelle !

Le cadre du restaurant est plutôt
sympa. Les tables y sont habillées de
nappes en tissu rouge, les murs sont lam-
brissés et une lumière tamisée complète
agréablement l'éclairage des bougies sur

les tables. Plutôt discrète l'ambiance, et c'est probablement la raison qui l'a conduite à retenir cet endroit. Non par pur romantisme, mais sûrement pour dissimuler la palette des couleurs qui maquillent encore son visage !

– Je me demande ce que les autres convives peuvent penser ? lui dis-je. Certains nous jettent des regards curieux, et à mon avis, ce n'est pas seulement parce que nous sommes le plus beau couple de la soirée.

– Ah bon ! répond-elle modestement.

– Pour être plus précis, je n'exclus pas de voir arriver à notre table une femme en colère qui me renverserait un plat sur la tête, en me traitant de voyou... Ou un avocat tenant à t'aviser de la meilleure façon de te débarrasser de ce mari un peu rustre.

Elle ne peut s'empêcher de rire. Que voulez-vous, on ne se refait pas...

– Je sens l'homme qui parle d'expérience, dit-elle. Ça t'est déjà arrivé ?

– Quoi ? Le plat sur la tête ?

– Entre autres.

– À moi, non. Mais à un de mes amis, oui. Un gaspacho. Faut dire qu'il était un peu coureur.

Elle se tord de rire. Ses côtes doivent commencer à aller mieux ou alors elle a développé une technique infaillible.

– Ce qui n'est absolument pas ton cas, bien évidemment ?

Je soupire, comme accablé par tous les maux de la terre :

– Pas tant que ça, paradoxalement... C'est tout de même étonnant de constater à quel point on peut attribuer les pires intentions à quelqu'un, parce qu'il a le contact facile et un peu de tchatche.

– Tu parles ! En fait, tu es un martyr de la cause masculine, n'est-ce pas ?

Un petit je-ne-sais-quoi me dit qu'elle ne me croit pas vraiment !

– C'est un peu ça. Je suis loin d'être un homme facile.

– À vivre ! Je m'en doute !

– Pas dans ce sens-là ! Dans le sens opposé à femme « facile ».

– Je verserai une larme pour toi un autre jour, si tu veux bien... En attendant je te remercie encore d'avoir pris soin de moi, à Sarreguemines.

– Ce n'est pas seulement parce que tu en avais besoin, mais ça m'a fait plaisir.

En silence, je contemple la flamme de la bougie qui danse au centre du photophore. Une vieille rombière, non loin de nous, me jette un regard curieux. Je lui retourne un sourire à m'en démettre les mandibules, et elle replonge le nez dans son assiette. Amélie a dû remarquer l'interlude, puisqu'elle se retourne, ne note rien de particulier et me revient.

– Qu'est-ce qui se passe ? m'interroge-t-elle.

– Rien... Pour ne pas te faire mentir, je drague tout ce qui bouge.

– Le troisième âge derrière moi ?

– Troisième ?

Elle pondère :

– Je t'accorde le début du quatrième.

– Alors, j'approuve.

– Tout en considérant que je ne dois pas être beaucoup plus agréable à contempler.

Certaines familles ont la tradition du sabre, de la peinture ou du scoubidou. Chez les Meyer, c'est le compliment ! Et je tiens à faire honneur à cet atavisme prestigieux, remontant aux heures les plus sombres du Neandertal, quand mon aïeul le plus éloigné, Rahan Meyer, séduisait sa belle à grands coups de grognements.

– Pardonne-moi de devoir te le rappeler, mais tu devrais surveiller ta température... Tu es en train de dérailler complètement, ce qui ne peut se justifier que par une forte poussée de fièvre.

– Qui sait ? sourit-elle. Peut-être, est-ce vrai aux yeux de certains ? Surtout avec mes couleurs du moment...

– Il faudrait qu'ils soient bien stupides... Ou qu'ils aient la vue basse.

Le serveur nous apporte enfin l'entrée... ainsi que la bouteille qu'il débouche devant mes yeux émerveillés. J'ai choisi un Saint-Amour. Tous les moyens ne sont-ils pas bons pour transmettre un message ? J'en savoure les premières gorgées en épicurien qualifié, constatant à la façon dont elle s'humecte les lèvres, qu'elle n'a pas l'air de détester non plus.

– D'ailleurs, sais-tu pourquoi il est impensable que tu sois désagréable à regarder ?

Elle ne se mouille pas.

– Vas-y !

– Parce qu'à mon sens, aucune femme n'est laide... Vous êtes comme des manuscrits, chacun disposant de son style propre. Tous les goûts sont dans la nature.

– C'est bien une métaphore d'écrivain !

Mais je suis d'accord avec toi. Je plaisantais.

– Et c'est peut-être aussi une façon de me tester pour savoir ce que je pense réellement ?

– Je ne l'avais pas vraiment considéré sous cet angle, mais pourquoi pas ? Tu me surprends parfois.

– Agréablement, j'espère ?

– Occasionnellement.

– C'est tout ?

– C'est déjà pas mal, non ? Les choses évoluent.

Là, je ne peux pas rater l'ouverture !

– En parlant d'évoluer... Si on parlait de nous.

– Non, David !

Descente en flamme ! Je continue avec délicatesse et ténacité :

– Pourquoi non ?

Elle réfléchit, hésite.

– On ne va pas faire dans le mélo, mais toi et moi ce n'est pas possible.

L'enchaînement se profile délicat. Tentative d'enrobement.

– Pourtant, j'ai le sentiment que tu m'apprécies un peu ?

– Je mentirai en affirmant le contraire, mais c'est comme ça.

Re-descente en flamme. David Meyer ou la pensée positive ! Je constate :

– Tu en parles comme si tu y avais déjà réfléchi.

– Oui, c'est vrai, j'y ai pensé... J'en ai eu l'opportunité, récemment. Mais c'est tout bonnement exclu.

Aurais-je mal apprécié la concurrence ?

– Pourquoi ? Y aurait-il quelqu'un d'autre ? Un beau flic ténébreux du genre... Olivier Moureau ?

Elle rit, ce qui m'engage à penser que tout n'est pas perdu.

– Non, il n'y a personne, me rassure-t-elle. Et certainement pas lui, surtout s'il doit rejoindre notre équipe sous peu... Peut-être sous mes ordres, d'ailleurs.

Je murmure :

– Et dans le boulot, ça ne se fait pas.

– Pas dans le même service en tout cas, non !

Tentative d'enveloppement sur l'autre aile. David Meyer ou le stratège de l'amour !

– Juste une supposition, lui dis-je, que je ne sois pas un journaliste spécialisé en enquêtes criminelles, par exemple ? Est-ce que ça changerait les choses ?

– Ça ne sert à rien de spéculer.

Ce qui veut dire oui ! Je m'amuse maintenant. Je ne suis pas du genre à me laisser abattre et plus je connais cette fille, plus elle m'intéresse. Elle a un je-ne-sais-quoi d'inhabituel qui m'attire vraiment. Faut dire que ce n'est pas tous les jours qu'on rencontre une nana qui, à elle seule, se permet de vouloir mater une émeute !

Elle reprend fermement :

– David, je préfèrerais qu'on cesse d'aborder ce sujet, si tu veux bien.

Troisième descente en flamme ! Si vous n'y voyez pas d'inconvénient, je vais me reposer un moment. En effet, le ton reste calme mais je sais ce qui me pend au nez si je n'en tiens pas compte : je finirai mon repas tout seul, ce qui est toujours un peu désagréable quand on est arrivé en couple. Les gens ont tendance à jaser si vite ! Surtout quand la fille se pointe avec un minois portant des traces de coups. Sagement, nous finissons notre entrée en changeant de sujet de conversation. Elle me parle un peu d'elle, je lui parle un peu de moi. Le plat de résistance suit le même chemin, et la deuxième bouteille est sérieusement entamée. Que voulez-vous, je me console comme je peux. Ma discrétion et mon élégance légendaires m'obligent à ne pas mentionner le fait qu'elle n'est pas la dernière à vider son verre. En tout cas, elle s'amuse bien de notre bavardage quand j'en viens à raconter nos frasques de jeunesse avec François. Je vous recommande comme thérapie, d'imaginer votre patron en culotte courte ; ça fait merveille pour la bonne humeur.

Après avoir divergé dans tous les sens, la conversation finit inévitablement par converger sur le cas « Highlander ».

– Ainsi, vous n'avez toujours aucune piste sérieuse ?

Sur ce terrain, elle semble maintenant avoir totalement confiance en moi et me parle librement de son affaire. Elle sait que je ne la trahirai pas. D'un autre côté, quand bien même je l'intéresserais un tout petit peu, elle ne veut pas aller plus loin que quelques rencontres épisodiques, persuadée, à raison d'ailleurs, que ça risquerait d'être plutôt mal perçu, si d'aventure cela venait à se savoir.

En effet, en admettant que nous soyons associés plus... intimement, la moindre fuite, la moindre information filtrant à l'extérieur, la désignerait tout de suite comme une confidente un peu trop

bavarde sur l'oreiller. C'est là toute l'hypocrisie du système. Autant dire que je
comprends sa réaction.

– Non, pas vraiment, m'accorde-t-elle.
Il y a trop de possibilités et rien qui nous
permette de réellement circonscrire...
Rien du côté du mari ou du côté de
l'UMD, rien de décelable, non plus, à
Broussais. À se demander s'il ne s'agit pas
d'un tueur en série qui aurait frappé au
hasard.

– Ce dont vous ne pourrez être certains
que lorsque vous aurez identifié la
seconde victime, seule façon de déterminer un lien éventuel.

– Oui. J'ai même rappelé Ravier à l'Institut médico-légal pour m'assurer, une
nouvelle fois, qu'elle était sûre de ses
conclusions... Que l'homme était bien
noir... Elle confirme à plus de quatre-
vingt-dix pour cent.

– Ce qui en laisse dix d'ouverts...

– Que nous avons pris en compte. Cet
homme est mort depuis plus de deux
mois, mais ne figure pas au registre des
personnes disparues. Nous avons alors
étudié celui-ci et repéré deux cas à peu
près similaires, en âge et en corpulence.
Des Blancs ceux-là, sur lesquels nous

avons procédé, sans résultats, à une comparaison d'ADN, en .utilisant leur famille. Nous avons aussi étudié l'entourage d'Isabelle Dervier pour nous assurer qu'aucun Blanc d'une cinquantaine d'années n'y avait disparu récemment. Mais là encore, aucun résultat.

Je réfléchis longuement.

– Ça me semble plutôt complet !

– Je te remercie de me l'accorder.

– Et qu'en pense François ?

– Rien de plus. Il suit le dossier de près mais ne voit pas d'autres pistes directement exploitables pour le moment.

J'ai peut-être une idée !

– Alors, à mon sens, il ne nous reste qu'une chose à faire, lui dis-je.

– C'est-à-dire ?

– Interroger le pays.

Elle me fusille du regard, au point de me troubler. Elle semble étonnée.

– Qu'entends-tu par là ?

– J'écris un article en donnant les détails... La seconde victime est un homme noir d'une cinquantaine d'années, non encore identifié. Les deux corps ont été retrouvés au même endroit, à intervalles différents... Et je demande aux lecteurs dans mon papier de nous faire part de toute information dont ils auraient connaissance, relative à la disparition dans leur entourage, d'une personne correspondant à ce profil, surtout si elle a, ou a eu à un moment de sa vie une relation, même très indirecte, avec Isabelle Dervier ou son activité.

– Ce n'est pas idiot du tout. De toute façon, je ne vois pas d'autres solutions pour l'instant. Je vérifierai avec Maynard et François si ça ne pose pas de problèmes.

– Entre-temps, je mettrai en place une permanence téléphonique chez Michel Ramier. Tous les tarés et autres bonimenteurs du pays vont probablement appeler pour faire part de leurs conclusions... ainsi que tous ceux qui auront perdu de vue un oncle éloigné... Il vaut mieux que ça se fasse au journal ; certaines personnes se refusent à parler à la police. De toute façon, je pense que l'idée plaira à Michel... Tout ce qui peut faire mousser son canard le fait vibrer.

Elle connaît Michel Ramier, au moins de réputation. En tout cas, ça la fait sourire. Je la questionne :

– À propos, pour changer de sujet, c'est

la Crim' qui s'occupe de dénicher celui qui a diffusé la liste des pédophiles ?

– Certainement pas ! Partant du principe que le coupable est intimement lié à la police ou à la justice, ils ont mis en place une cellule avec des spécialistes de l'IGS et des magistrats rigoureusement sélectionnés. Et là, rien ne filtre... Je pense qu'ils doivent même se méfier les uns des autres...

J'explose de rire.

– Ça ne m'étonnerait pas !

18

Paris – 26 juin – 13 h 00

– Merci du cadeau ! ricane Michel. Quand tu vois ce qu'on reçoit comme appel, tu peux réellement te poser des questions sur le genre humain dans son ensemble. Si je récapitule, nous en sommes donc à six marabouts qui, moyennant une commission bien évidemment modique, sont certains de parvenir à identifier l'homme puisqu'il est noir.

J'éclate de rire. Il grogne, mais je sens bien qu'il boit du petit lait. Il adore le frisson de la chasse et du journalisme. Et en plus, tous ses concurrents sont verts de dépit de ne pas avoir cette exclusivité, ce qui l'excite doublement.

Nous venons de quitter la salle dédiée à notre permanence téléphonique, où j'ai passé une bonne heure à éplucher les résultats. Rien de neuf, sachant qu'aux marabouts, il faut ajouter quatre astro-

logues, deux radiesthésistes et même un
sourcier dont on se demande sérieusement ce qu'il vient faire là. Peut-être
espère-t-il remonter à la source de la vérité ? Plus les comiques de tous poils, et
ceux-là sont légion. Plus ou moins drôles
d'ailleurs, en fonction de la qualité de
leurs interventions, certaines franchement teintées de racisme. Et puis, au
milieu de tout ça, deux ou trois personnes
qui semblent considérer que nous
sommes la solution rêvée pour retrouver
le chaînon manquant de leur famille. Le
fait que cet élément soit un jeune homme
blanc de vingt-cinq ans quand nous cherchons un Noir de cinquante ne semble
pas vraiment les gêner.

— Combien de temps comptes-tu tenir
cette permanence ?

— Pas plus d'une semaine. Quelqu'un
qui lirait ton papier plus tard, pourrait
toujours nous contacter directement.

J'approuve :

— Ça tient la route. C'est vrai que si on
ne trouve rien d'ici là...

— Oui, dit-il. Tu crois à l'hypothèse d'un
tueur en série ?

— Honnêtement, je ne sais pas. Quoi
qu'il en soit et si c'est le cas, il a bien

choisi, et sa victime et le lieu de dépôt, au confluent d'un tas de possibilités.

Il grimace :

– On le saura si on retrouve un autre cadavre décapité.

– Ou si on arrive à identifier la seconde victime.

Nous venons de traverser la rédaction et pénétrons dans son « bocal ». Je note l'absence du petit jeune de l'autre soir. Partant du principe qu'avec Michel, un journaliste débutant n'a pas le temps de déjeuner, il doit faire ses gammes quelque part. Mon ami s'affale dans son fauteuil et me désigne un siège de la main.

– Tu veux boire quelque chose ? m'interroge-t-il.

– Non, merci. On pourrait peut-être aller déjeuner ? lui dis-je, interrompu par la sonnerie de mon portable.

Je porte le combiné à l'oreille et attaque très fort, soucieux de surprendre aussitôt mon interlocuteur par ma maîtrise de la langue française :

– Allô !

– Monsieur Meyer ?

C'est un homme. Une voix de basse que je reconnais, sans arriver à l'identifier pré-

cisément. Dans le doute, je réponds aima-
blement :

– Lui-même.

– Louis Dervier, à l'appareil.

Le mari de feue notre première victime.
C'est bon, je situe maintenant. Quelques
préambules aimables avant qu'il n'en
vienne au fait :

– Si j'en juge par ce que je peux lire
dans les journaux, j'ai l'impression que la
police n'avance pas beaucoup.

Je ne me mouille pas :

– Il est certain que l'enquête est délicate et les pistes multiples. Sans compter
qu'il s'avère toujours difficile d'identifier
l'une des victimes.

– J'ai lu... Le fameux Noir pour lequel
vous m'avez menti.

Pas vraiment de reproche dans le ton.
De toute façon j'assume :

– Je n'avais pas le droit de vous en parler. La police ne tenait pas à communiquer sur ce sujet.

– Et vous tenez à conserver vos
sources. Ne vous inquiétez pas. Je
comprends... N'oubliez pas que j'ai été
journaliste.

– J'en suis heureux. Je n'ai pas aimé

devoir vous tromper. Est-ce pour cela que vous m'appelez ?

– Non, monsieur Meyer. Moi aussi, je vous ai dissimulé quelque chose.

Rien à dire, alors je réponds simplement :

– Oui ?

– Je ne pense pas qu'il y ait un rapport mais je ne veux négliger aucune possibilité... Isabelle, un jour, a été partie prenante d'une histoire qui l'a énormément affectée. Si je ne vous en ai pas parlé jusqu'à maintenant, c'est parce que je ne tenais pas à ce que sa mémoire en soit salie.

Je me lève brutalement et fais, à l'intention de Michel, le signe d'écrire fébrilement quelque chose dans le vide. Il comprend instantanément et bondit pour me tendre un bloc et un stylo.

– Je vous écoute, monsieur Dervier.

– L'UMD de Sarreguemines a été amenée, sur la recommandation collective de ses médecins psychiatres, à libérer un de ses patients qui, à peine sorti, a violé et tué deux jeunes filles.

Une lueur d'espoir. Une nouvelle piste, peut-être ?

– Et comment s'appelait cet homme ?

– Guillaume Deschamps... Mais il est mort maintenant.

– Comment ?

– Je ne sais pas exactement. En prison, je crois.

– Je vois... Et la police est au courant ?

– Je viens d'aborder le sujet avec le docteur Nahon, qui est le patron de l'UMD de Sarreguemines et il m'a confirmé en avoir parlé à la femme policier qui l'a interrogé.

Amélie, me dis-je, ayant du mal à masquer ma double déception. Non seulement le gars est mort, mais la Crim' est déjà informée. Pas vraiment une information brûlante. Je commence à gribouiller des tresses d'enluminures autour du nom reporté sur le bloc, ne pouvant m'empêcher de lui demander :

– Pourquoi m'en parler maintenant, si la police est déjà au courant ?

Je l'imagine en train de hausser les épaules, si j'en juge par le ton de sa réponse.

– Parce que je suis comme vous, monsieur Meyer. Je me creuse la tête dans tous les sens pour tenter de comprendre. Et je ne souhaite pas que l'assassin de ma femme puisse un jour s'en tirer parce que la police ou vous-même ne détiendriez pas toutes les informations.

Michel m'interroge du regard. Je fais la moue et il pige vite : faux espoir.

– Je comprends, monsieur Dervier et je vous remercie sincèrement de m'en informer. Je n'étais pas au courant et je vérifierai au cas où. Quoi qu'il en soit, n'hésitez pas à me contacter à nouveau si autre chose vous venait à l'esprit.

– Je n'y manquerai pas.

– Merci.

Un bruit de friture. Il a raccroché. Je replace lentement le mobile dans la poche de ma veste.

– Alors ? m'interroge Michel.

– Peux-tu demander à quelqu'un de rassembler des éléments sur cette affaire ? Le nom de Deschamps me dit bien quelque chose mais les détails ne me reviennent pas. Je prendrai ça après le déjeuner et y jetterai un coup d'œil ce soir... Je regarderai aussi dans mes propres bases de données.

– D'accord, accepte-t-il.

Il transmet la requête, via le téléphone.

Un petit quart d'heure s'écoule encore avant que nous ne soyons enfin attablés...

19

Paris – 26 juin – 17 h 00

Qui a dit qu'enquêter revenait à slalomer au milieu des bandits, en se frayant un chemin à grand coup de revolver ? Peut-être Indiana Jones, et encore ? En fait, je pense que cela nécessite plutôt d'apprendre à nager dans des piles de paperasses, à défaut de torrents furieux. Le jour où l'archivage sera répertorié comme discipline olympique, je cours enfin une bonne chance de décrocher la médaille d'or.

En tout cas, cela fait maintenant une bonne heure que je suis penché sur le dossier de Guillaume Deschamps. Plutôt édifiant dans le genre Barbe-bleue. Dix-huit années d'une vie à peu près sans histoires, dans l'Oise, avant qu'il ne lui prenne, une nuit, le désir de tuer toute sa famille : père, mère et jeune sœur. Plus de cent coups de couteaux ! Puis, il tente de simuler un cambriolage, essaie de brûler les corps avec du white-spirit, finit par y renoncer vu le peu de résultats, et retourne tranquillement se coucher avant que le carnage ne soit finalement découvert le lendemain matin. D'où un procès-fleuve qui opposera une quinzaine d'experts psychiatres, pour que les juges finissent par conclure qu'il a commis son crime sous l'influence de la folie, et le déclarent donc irresponsable. Non-lieu psychiatrique au motif de parasomnie, un truc dont je n'avais jamais entendu parler auparavant. Un état proche du somnambulisme, paraît-il...

Toujours est-il que Deschamps, au lieu d'une libération instantanée à laquelle il pouvait éventuellement prétendre, est hospitalisé d'office, sur ordre du préfet qui s'est saisi du dossier et considère – on se demande bien pourquoi – que le forcené est bel et bien un homme dangereux pour la société. Il passera les huit années suivantes à l'UMD de Sarreguemines où il rencontrera Isabelle Dervier, entre autres médecins. Il en sortira en pleine forme, n'étant de toute évidence pas aussi guéri que les psychiatres pouvaient le croire, puisque deux semaines plus tard, il agressera, violera et tuera avec une rare cruauté deux jeunes filles, Francine et Magali Molina. D'où, enfin la prison, où il décèdera moins d'une année plus tard, sous les coups d'un autre détenu.

La lecture de ce dossier m'a surtout permis de me rafraîchir la mémoire puisque j'avais suivi d'assez près, comme toute la France d'ailleurs, l'épilogue de cette histoire, deux années plus tôt. À ce moment-là le père des deux jeunes victimes, loin d'être un adepte du pardon des offenses, avait lui-même été accusé d'avoir commandité, par vengeance, le meurtre en prison de l'assassin de ses enfants. Sa détention préventive avait provoqué un magnifique tollé populaire qui avait fait frémir et même vaciller le gouvernement. Molina avait finalement obtenu le non-lieu par manque de preuves, non-lieu qui avait soulagé la plus grande partie du microcosme politique français.

Tout cet enchaînement de faits m'ouvre de nouveaux horizons de réflexion. En admettant que le père ait réellement fait exécuter le bourreau de ses filles, est-il concevable qu'il ait décidé de pousser la vengeance plus loin ? Mais dans ce cas, pourquoi Isabelle Dervier ? Si je m'en tiens aux propos de son mari, elle aurait facilité la libération de Deschamps, ce qui pourrait être un motif. Mais pourquoi elle plutôt qu'un ou une autre, dans la mesure où la proposition de libération a été validée par toute l'équipe médicale en charge du suivi du patient ? De plus, la procédure est longue entre une proposition éventuelle et la libération effective d'un hospitalisé d'office. Le préfet doit donner son accord, suivant lui-même les recommandations d'une Commission régionale des hospitalisations psychiatriques, qui doit elle-même être saisie pour étudier le cas. Isoler Dervier dans le lot des responsables ne rime à rien et je n'ai pas entendu parler d'une épidémie récente de décès de psychiatres.

J'ai envie de laisser tomber cette direction pour l'instant. Mais avant de classer le dossier, je décide de contacter les deux avocats qui ont défendu Deschamps au cours des deux procès. Le premier surtout m'intéresse, dans la mesure où ce n'était pas une mince performance judiciaire que d'obtenir un non-lieu psychiatrique sur un triple meurtre.

Mais c'est Stéphane Barcil que j'arrive à joindre d'abord, qui a défendu Deschamps après le second massacre : celui des filles Molina, qui lui a enfin valu la taule !

L'avocat a beau être sympathique et détendu au téléphone, il ne m'apprend pas grand-chose de nouveau. Le parcours de son client ne lui laissait aucune chance et la perpétuité était jouée d'avance. Cette fois-ci sans non-lieu psychiatrique, même s'il avait essayé de faire valoir encore une fois l'irresponsabilité. Pour les miracles, le diable devait être en vacances, ce jour-là !

Je lui demande d'autres précisions et surtout s'il dispose des coordonnées de son confrère lors du premier procès. Il me rappelle une quinzaine de minutes plus tard pour me les communiquer : Victor Béruse officie dans le cabinet *Oudard, Béruse et Leven*, basé à Chantilly, dans l'Oise. Jusque-là rien d'anormal sauf qu'il a relu ses notes et me fait part d'un scoop. Le dossier de libération, présenté devant la Commission des hospitalisations psychiatriques semble bel et bien avoir été défendu par Isabelle Dervier !

Le directeur de l'UMD aurait dû le faire,

mais probablement indisponible pour une raison ou une autre, c'est sa consœur qui s'en était chargée, d'où la mention de son seul patronyme en couverture du document. Peu surprenant d'ailleurs si je m'en tiens aux déclarations du mari qui m'a stipulé qu'Isabelle Dervier était bien, de facto, le numéro deux de l'Unité.

Et tout ça change beaucoup de choses ! Je presse Barcil de m'en dire plus mais il n'a plus rien à m'apprendre et semble désireux de rentrer chez lui.

Je tente ma chance du côté du cabinet de Maître Béruse. Une douce voix féminine dans le combiné, du style de celle qui annonce les vols dans les aérogares. Un vrai métier :

– *Oudard et Leven*, j'écoute !

Je note l'absence de Béruse dans l'association et use du charme de mon plus beau ton de basse.

– Bonjour, mademoiselle ! J'aurais souhaité parler à Maître Victor Béruse, s'il vous plaît.

La fille semble étonnée.

– Je suis désolée, mais Maître Béruse ne travaille plus avec nous.

– Et sauriez-vous par hasard où je pourrais le joindre ?

Sa voix sourit dans le combiné :

– Peut-être aux Antilles, monsieur ?

Sous-entendu : le veinard !

– Ah bon ! Il habite là-bas ?

– Oui, il y a toujours eu une maison.

D'un seul coup, la lumière jaillit !

– Vous voulez dire qu'il est antillais ?

Son ton se fait plus prudent.

– Oui, monsieur. Vous ne le connaissez pas ?

– Pas vraiment. Un de ses anciens collègues me l'a chaudement recommandé et je tentais de le contacter. Il vous a quitté depuis longtemps ?

– Un an, à peu près.

J'entends une sonnerie en toile de fond. Un autre client certainement. Je la sens maintenant pressée de mettre fin à l'entretien. Du coup, j'accélère mon débit :

– Quel âge a monsieur Béruse ?

Elle hésite avant de me répondre :

– Je ne sais pas, monsieur.

– La cinquantaine ?

– Oui, je pense que c'est ça.

Nom d'un chien ! Et si c'était... Elle me demande de patienter et coupe la conversation, sans doute pour répondre à l'autre appel, pendant que je réfléchis à toute vitesse. Il existe bien des Antillais blancs, les békés, mais je suis prêt à parier que Béruse est noir ! Ce que je lui demande dès qu'elle daigne reprendre la conversation.

– Oui, monsieur, me répond-elle, maintenant agacée.

Pour elle, il est probablement l'heure de fermer boutique, ce qui explique sa tension grandissante et son énervement devant mes questions débiles !

– Quelqu'un de chez vous serait-il susceptible de me recevoir demain ? Quelqu'un qui connaisse bien monsieur Béruse ?

Vu le temps qu'elle prend pour répondre, elle consulte de toute évidence le planning.

– Non. Personne n'est disponible... Ils sont retenus toute la journée.

– C'est très important, mademoiselle.

J'ai dû outrepasser sa limite de tolérance, le ton est maintenant inflexible.

– C'est totalement impossible ! Je peux arranger quelque chose avec monsieur Oudard... vendredi.

Dans quatre jours ! Hors de question ! J'enrage maintenant... et suis en même temps surexcité.

– Puis-je parler tout de suite à un des associés ? C'est très urgent.

– Ils sont rentrés chez eux.

Sous-entendu : la seule qui reste, c'est moi qui n'arrive pas à me débarrasser d'un importun plus collant qu'un morceau de sparadrap.

– Puis-je au moins les joindre chez eux, mademoiselle ! C'est une question de vie ou de mort !

– Désolée, monsieur, rappelez demain. Au revoir, monsieur.

Et elle me raccroche au nez ! Je rappelle aussitôt pour entendre le téléphone sonner dans le vide. Elle ne répondra plus ! Il ne sert à rien d'insister. Je laisse tomber et me mets à réfléchir sur ce que je viens de découvrir : est-il possible que Béruse soit la seconde victime ? Il correspond au profil, et puisqu'il ne travaille plus pour ce cabinet, son absence n'aura pu être remarquée... Mais n'a-t-il pas une famille qui aurait pu signaler sa disparition, le cas échéant ? Peut-être pas si on le croyait de retour au pays...

Quoi qu'il en soit, je n'ai pas encore assez d'éléments pour creuser cette piste. Il me faut en apprendre plus. Et pas dans quatre jours. Demain, au plus tard ! Et si je ne peux pas, quelqu'un d'autre le pourra.

Je me précipite à nouveau sur le téléphone :

– Amélie, c'est moi. Il faut qu'on se voie maintenant ! Ça ne peut pas attendre !

20

Paris – 26 juin – 22 h 00

Dire qu'elle arbore une mine épanouie lorsqu'elle m'ouvre enfin la porte, serait exagéré. En fait, elle m'apparaît plutôt soucieuse.

– Ah ! te voilà ! me dit-elle, comme si elle attendait quelqu'un d'autre.

Elle a dû oublier tout le mal que je me suis donné pour obtenir, et son adresse, et une autorisation de visite aussi tardive ! À moins qu'elle ne sous-entende que j'arrive « enfin ».

Je lui réponds par un sourire modeste et innocent qu'on réserve d'habitude à son inspecteur des impôts, tout en faisant apparaître de derrière mon dos un bouquet de fleurs que j'ai eu bien du mal à trouver à cette heure. Elle le prend machinalement, murmure un discret « merci » et s'écarte afin de me laisser pénétrer chez elle. Son intérieur est moderne et plutôt petit, l'option du couloir d'entrée ne semble pas avoir été retenue à la construction. J'examine attentivement le cadre de vie de la dame de mes pensées, tout en accrochant mon blouson à un porte-manteau en ferronnerie noire. Elle est retournée s'asseoir dans un canapé qui occupe une bonne partie du mur du fond. Je m'avance dans la pièce et aperçois mes fleurs déposées sur ce qui semble être un bureau, recouvert de papiers et dossiers divers.

La décoration est chaleureuse, l'ensemble étant de toute évidence choisi et décoré avec un goût certain qui prouve que le fait d'être flic n'est pas incompatible avec celui d'avoir un petit côté artiste. Seule note insolite, à côté d'un pêle-mêle empli de photos que je ne peux détailler de l'endroit où je me tiens, une tête de clown de taille adulte, probablement achevée par un peintre émergeant d'un magnifique trip au LSD. Plutôt étrange. Surtout le nez, couleur vert-iguane.

Revenons à la maîtresse des lieux qui attend patiemment que je finisse l'inventaire ! Instinctivement, je rentre le ventre et bombe le torse tout en m'inquiétant de son aspect physique. Les traces sur son visage ont presque disparu après une semaine, et le léger parfum qui se dégage de sa personne dénote un bien-être apaisant. Elle est vêtue d'un tee-shirt blanc uni qui moule des formes enthousiasmantes, ainsi que d'un pantalon de toile bleue. Je tente désespérément de me concentrer sur ses yeux verts qui me fixent.

– L'inspection est terminée ? ironise-t-elle doucement.

– *Nos sens facilement peuvent être charmés,*
  Des ouvrages parfaits que le ciel a formés.

– Pardon ?

– C'est la façon dont Molière disait d'un décor qu'il était plutôt agréable.

En entendant ça, Tartuffe doit être en train de se retourner dans sa tombe !

– Et tu as tenu à venir à cette heure-ci pour me parler théâtre ?

Le ton est calme mais sur la défensive. L'œil du cyclone. Quelque chose du genre : je t'accorde le bénéfice du doute mais tu as intérêt à avoir une sacrée bonne raison !

– David, soupire-t-elle, il est tard et j'ai connu récemment des journées assez dif-

ficiles. As-tu l'intention de me dire pourquoi tu es là ?

Je m'asseois enfin auprès d'elle, assez
loin tout de même, de façon à ne pas être
troublé par les ondes de fraîcheur qui se
dégagent de sa personne. Autant ne pas
trop la faire attendre, si je veux vivre assez
longtemps pour connaître mes descen-
dants. Alors j'explique :

— Deux raisons... D'abord, j'ai une
touche... avec un grand Noir, cinquante-
cinq ans à peu près... Et qui aurait terminé sa vie dans les carrières de Paris.

Elle se redresse, intéressée tout d'un
coup. Faudra-t-il que je me dessèche et
que je devienne cadavre, moi aussi, pour
qu'elle me manifeste un peu de compassion en m'offrant à boire, par exemple ?

— Accouche ! me dit-elle, usant probablement de la terminologie policière habituelle, ordre que je dois certainement
prendre au sens figuré.

Je lui explique mon raisonnement, mes
tentatives récentes pour le vérifier... et
mon insuccès temporaire.

— Très   intéressant,   finit-elle   par
conclure.

Je tempère :

— S'il s'avère qu'il s'agit bien de lui ! Je

ne peux malheureusement pas m'en assurer encore, les autres avocats du cabinet
étant bien trop occupés pour me rencontrer rapidement.

– Je pense que moi, ils me recevront,
sourit-elle.

– Je n'en doute pas et c'est d'ailleurs
pour ça que je suis là. Si Victor Béruse est
bien concerné, il existe un lien direct
entre les deux victimes, Guillaume
Deschamps.

– Guillaume Deschamps qui est mort !
Je me souviens aussi un peu de l'affaire.

– Ça, c'est certain ! En tout cas, ça
ouvre un nouveau champ de possibilités,
partant d'une vengeance éventuelle de la
famille ou d'amis des deux filles assassi-
nées par ce gars.

Elle hésite, hoche doucement la tête.

– Je préfère ne pas spéculer pour l'instant, connaissant très peu ce dossier, et
surtout, tant que nous ne sommes pas certains de ton intuition, mais sois assuré
que je vais vérifier. Ce qui m'agace un
peu, c'est que Nahon, le patron de l'UMD,
m'a parlé de cette histoire mais je n'ai pas
creusée... Et j'aurais dû le faire.

– C'était quand ?

– Le lendemain de mes problèmes à

Sarreguemines. J'ai péché par orgueil et commis une erreur. Mon état physique aurait dû m'empêcher d'aller seule à ce rendez-vous et j'ai pu rater quelque chose. Si Roger avait été avec moi, comme il me l'avait d'ailleurs proposé, peut-être aurions-nous fait le rapprochement plus vite.

Je hausse les épaules.

– Peut-être, peut-être pas. Si j'en juge d'après ce que j'ai vu, tu étais loin d'être en pleine forme, c'est certain. Mais le raisonnement qui m'a amené à Béruse était plutôt tiré par les cheveux... De toute façon, ça ne sert plus à rien de supputer. S'il y a eu erreur, elle est réparée maintenant, ce qui est essentiel.

– Grâce à toi.

– J'ai eu du pot.

– Non, David ! C'est plus que de la chance. François a raison quand il parle de toi comme d'un excellent professionnel.

Que répondre à ça en restant modeste ? Je laisse passer. Elle poursuit :

– Tu m'as parlé de deux raisons majeures... Quelle est la seconde ?

– Tu n'aurais pas quelque chose à boire pour arroser notre découverte ?

En disant « notre », j'espère l'amadouer un peu.

– « Ta » découverte, tu veux dire... Une tisane ?

Au début, je comprends mal. J'ai découvert une tisane, moi ? Puis la lumière se fait :

– Tu m'offres une tisane ?

Elle explose de rire.

– Tu devrais voir ta tête ! On dirait que je t'ai proposé de me déshabiller !

Puis elle comprend ce qu'elle vient de dire et, à voir le sourire que je commence à arborer, ce que je risque de lui répondre. Mais je ne dis rien. Ses yeux sont rivés aux miens, ils me fascinent, m'hypnotisent. Je m'y noie. Deux puits de beauté.

Sans que j'en aie conscience, nos visages se sont rapprochés. Mes lèvres commencent à caresser les siennes. Doucement, délicatement, savourant le trouble de cette nouvelle conquête...

Je ne force pas, n'insiste pas, me contente de demeurer ainsi jusqu'à ce qu'elle décide de rompre la magie qui menaçait de nous submerger.

Elle se rejette au fond du canapé. Loin de moi. J'ignore totalement quelle tête je fais mais son visage a rougi, comme après

un effort trop important. Elle respire rapidement et profondément, tentant à l'évidence de retrouver son contrôle. Comme
moi d'ailleurs. Mes pensées tourbillon-
nent. Je sais que je ne dois pas parler,
sous peine de briser l'enchantement du
moment.

Sa voix est rauque, mais elle s'exprime
avec calme.

– Va-t'en, David, s'il te plaît !

« Pour la première fois de ta vie, tais-
toi, David », me dis-je, « surtout pas un
mot. »

Pour la première fois de ma vie, je
m'écoute et me relève calmement. Puis
me dirige vers le porte-manteau où je
récupère mon blouson, sentant ses yeux
toujours vissés dans mon dos.

Je ne me retourne qu'au moment d'ouvrir la porte. Elle se tient au même
endroit, dans le canapé... et me regarde.

Je murmure :

– Merci pour la tisane, Amélie.

Puis je m'en vais.

Ce n'est qu'en descendant l'escalier que
je me rends compte que je ne lui ai pas
donné la seconde raison pour laquelle je
tenais tant à la rencontrer, ce soir. Tout

bonnement parce que j'ai envie de la revoir.

21

Metz – 26 juin – 24 h 00

« Je me demande vraiment pour qui je me fais belle ? » s'interrogea tristement Elisabeth Audiard, sur un ton désabusé, en s'examinant sans concession dans la glace au-dessus du lavabo.

Ce soir, elle n'arrivait pas à dormir. Alors, en désespoir de cause, elle avait eu l'idée de se faire couler un bain bien chaud, espérant que ça l'aiderait à trouver le sommeil. La baignoire se remplissait doucement, la mousse qui en garnissait la surface n'amortissait pas vraiment le bruit de l'eau. Les cloisons n'étant pas épaisses, les voisins allaient probablement s'en plaindre, mais tant pis. Après tout, il n'était pas rare qu'elle perçoive elle-même les sons de leur vie animée. A contrario de la sienne, si calme qu'elle ne devait pas les déranger souvent. Surtout depuis que Roland s'était envolé, après vingt années de vie commune. Et ça, pour une minette qui faisait à peine la moitié de son âge !

Du coup, elle se retrouvait seule avec ses doutes et se posait pour la énième fois la question du pourquoi de son départ. Était-ce de sa faute ? Ne lui avait-elle pas toujours donné le maximum ? Avant de partir, il n'avait jamais manifesté la moindre retenue, la moindre réserve. Au lit aussi, contrairement à tant de couples à la sexualité appauvrie par la durée, ils paraissaient s'entendre particulièrement bien. En tout cas, il n'avait jamais eu l'air de s'en plaindre, bien au contraire. Alors pourquoi ?

C'était cela qui lui était le plus pénible. Ne pas savoir, ne pas comprendre. Il n'avait jamais été capable de lui expliquer. Alors l'incertitude faisait travailler son imagination de façon négative. Elle s'inventait des culpabilités, remettant en cause ses principes même d'existence. Le doute avait aussi atteint son amour-propre, la poussant à s'imaginer des défauts, des fragilités, et obérant totalement la conscience de ses qualités. Elle avait été tellement sûre de finir sa vie avec lui ! Dieu, que ça faisait mal !

Son miroir lui renvoyait une image fatiguée. Elle la détailla sans complaisance,
notant les rides supplémentaires au coin
des yeux, les cernes, la bouche légèrement
plus affaissée. Elle enleva sa nuisette
trempée de sueur et la jeta en boule sur le
carrelage, avant de se replacer devant la
glace. Rien de particulier ne semblait
avoir changé. La poitrine toujours aussi
ferme, à défaut d'être lourde. Elle plaça
ses mains en coupe sous les seins, les sou-
levant légèrement, les deux aréoles rosées
tranchant sur la peau laiteuse. Peut-être
étaient-ils un peu tombés mais ce n'était
pas flagrant. Un infime sentiment de
satisfaction. Au moins, tout ne s'effon-
drait pas, se dit-elle, désabusée.
   Elle se retourna pour apprécier le
niveau du bain. C'était prêt. Enjambant le
rebord de la baignoire, elle pénétra tout
doucement dans l'eau brûlante. Une fois
installée seulement, un sentiment de bien-
être l'envahit. Elle sentit sa peau s'assou-
plir, la tension de ses épaules s'évanouir, le
liquide inonder chacun de ses pores pour
les nettoyer, les purifier. Des gouttes de
sueur commencèrent à perler sur son
visage, laissant sur ses lèvres un goût salé.
Son esprit se vidait enfin, la chaleur anes-

thésiant ses pensées négatives. Elle n'avait même plus le courage de broyer du noir ! Elle laissa reposer sa tête sur la céramique, prenant maintenant conscience de l'immensité de sa fatigue, de l'excès de travail et de soucis. Elle se sentait épuisée et ferma les yeux, tout en luttant contre le sommeil. À vrai dire, elle s'en souciait peu, toute au désir de se laisser aller. Un long moment s'écoula, rythmé seulement par les battements de son cœur. L'eau lui recouvrait les oreilles, elle voguait dans un cocon moelleux qui l'enfermait, la protégeait. Elle se sentait en paix, la tête vide. Une bouffée d'air plus frais lui caressa la face mais elle n'y prêta pas attention.

Une impression bizarre mit son esprit en éveil. Le sentiment d'une promiscuité, l'idée qu'elle n'était plus seule. Elle ouvrit les yeux, releva brutalement la tête et se trouva face à un homme qui, accroupi près de la baignoire, la regardait sans ciller !

Elle tenta de se redresser mais ses pieds glissèrent sur le fond. Elle ouvrit la bouche pour hurler quand une main se posa sur son visage, la poussant fermement sous l'eau. Son cri se transforma en borborygmes, le liquide lui envahit la bouche, pénétrant dans la trachée. Elle se noyait ! Elle tenta de résister mais elle ne parvint qu'à fouetter maladroitement l'eau de ses bras et de ses jambes. Sa cheville heurta violemment le robinet, une douleur fulgurante l'envahit toute entière. Elle tenta d'expulser le liquide qui avait pénétré sa gorge, mais elle y perdit ses dernières réserves d'air. Ses battements étaient devenus frénétiques, mais inutiles. Elle n'en pouvait plus. Elle renonça.

L'homme la maintint de force sous l'eau, encore une bonne minute. Il tenait à être certain du résultat. L'occasion qui s'était présentée était trop belle pour la laisser passer. Avec un peu de chance, cette noyade pourrait passer pour un accident. En quittant la pièce, il chercha l'erreur éventuelle qu'il aurait pu commettre, mais sans rien repérer.

Elle ne l'avait même pas griffé, se contentant de se débattre comme un scarabée sur le dos...

22

Chantilly – 27 juin – 10 h 00

« Si chaque être humain présente un côté animal comme on le dit, alors il semble que ce soit l'autruche qui soit la mieux figurée ici », songea Amélie, amusée, en détaillant son interlocuteur. Maître Oudard promenait en effet son corps rond sur des jambes très fines, un long cou fripé surmonté d'un visage aux rides prononcées, comme des marques de souvenirs. « Plus près de soixante-dix ans que de soixante », pensa-t-elle. Peut-être même plus, malgré le regard encore vif et perçant de l'avocat.

Il était venu lui-même l'accueillir dans la salle d'attente où elle avait patienté quelques minutes à peine. Elle fut étonnée de constater qu'il portait son manteau, un loden marron, ne laissant apparaître que le nœud de sa cravate.

– Bonjour, capitaine, dit-il en lui serrant la main...

Poursuivant sans lui laisser le temps de répondre :

– J'ai une proposition malhonnête à vous faire... Les sujets que nous devons aborder sont-ils si confidentiels que nous ne puissions le faire dehors ?

Elle secoua la tête, provoquant de sa part un léger sourire de satisfaction.

– Bien. Dans ce cas, acceptez-vous de m'accompagner pour ma promenade quotidienne ?

– J'en serai ravie. J'ai moi-même parfois l'impression de ne plus assez voir le jour... Autant profiter du beau temps !

Ils sortirent rapidement du cabinet.

– De quel côté allons-nous ?

– Par là, répondit-il, désignant du doigt une arche de pierre qui s'élevait à peu près à deux cents mètres devant eux.

– C'est la direction du château ?

– Oui. Vous n'avez pas l'occasion de le voir tous les jours et, personnellement, je ne m'en lasse pas. Ce serait un honneur pour moi de prendre votre bras pour vous conduire... Ce n'est pas souvent que l'opportunité m'est donnée de me promener avec une aussi jolie femme... Sachez que vous ne risquez rien. À mon âge, seul le regard des voisins m'importe encore un

peu, et ils ne s'en remettront pas de me
voir aussi bien accompagné.

Elle ne put s'empêcher de rire. Il avait
ce côté « vieille France » bien agréable, un
peu comme son grand-père maternel. Elle
glissa sa main gauche sous son bras et ils
commencèrent à déambuler lentement.

– J'ai cru comprendre que vous recher-
chiez des renseignements sur Victor
Béruse.

– En effet.

– Me serait-il possible d'en connaître la
raison ?

Elle hésita quelques secondes.

– Ce n'est pas habituel, mais je suis
prête à vous en faire part. À la condition
que vous restiez discret sur le sujet.

– Je vous en donne ma parole.

– Avez-vous entendu parler de l'affaire
Highlander ?

– Bien sûr ! Je lis encore les journaux
bien que le pénal ne soit pas vraiment ma
spécialité... Mais quel rapport avec
Victor ?

– Nous pensons qu'il est possible que
votre ancien associé soit la seconde victime d'Highlander.

Il se figea et elle le vit tourner vivement
la tête pour le dévisager, son bras se rai-

dissant sous le sien. Mais il se relâcha tout aussi vite et reprit lentement sa route.

– Et qu'est-ce qui vous fait croire ça ? interrogea-t-il doucement.

– Je vous demande de bien vouloir m'excuser, mais je n'ai pas le droit de vous en dire plus. Sachant qu'il ne s'agit que d'une hypothèse, pour l'instant.

Il hocha la tête, compréhensif.

– Eh bien ! posez vos questions !

– Avez-vous été récemment en contact avec lui ? Vous-même ou peut-être d'autres personnes de votre entourage ?

– Non, pas vraiment. En fait, il a décidé de faire valoir ses droits à la retraite, il y a un an, et depuis nous n'en avons plus entendu parler. Je le croyais d'ailleurs aux Antilles... Ou en Afrique.

– Il est africain ou antillais ?

– Les deux. Son père était camerounais, je crois. Et sa mère antillaise.

– Quel âge a-t-il exactement ?

– Cinquante-deux ans quand il nous a quittés. Ça doit lui faire à peu près cinquante-trois, maintenant.

– N'est-ce pas un peu tôt pour prendre sa retraite ?

– Sa famille avait de l'argent, et lui-même avait plutôt bien réussi dans le métier.

Comme ils approchaient de l'arche de pierre, ils devinaient les grandes écuries, avec l'hippodrome derrière.

– Quel type d'homme était-ce ?

Ce fut à son tour d'hésiter.

– Ambivalent, répondit-il enfin. Une personnalité qui pouvait aussi bien être agressive que chaleureuse. Un vrai séducteur quand il le voulait, et le pire des tueurs quand il travaillait.

– N'est-ce pas le rôle des avocats d'être combatifs et pugnaces ?

– Certainement, convint-il. Mais nous n'en sommes pas moins des hommes avec nos doutes. Et parfois, nous devons nous imposer certaines limites... Lui n'en avait aucune. Il semblait avoir une dent contre le système et lorsqu'il défendait ses clients, ce n'était pas vraiment pour eux qu'il se battait, mais pour lui. D'où un degré d'implication peu commun, la fin justifiant tous les moyens, parfois... discutables.

– Comme dans le cas de Guillaume Deschamps ?

Quelques secondes s'écoulèrent, utilisées sans doute à se remettre en mémoire les données du dossier.

– Oui. Le cas est assez représentatif. Il savait son client bien évidemment coupable, mais a remué ciel et terre pour obtenir un non-lieu. Même lorsque celui-ci a été déclaré irresponsable et interné, il a continué à lui rendre visite.

– Ah bon !

– Il était d'un orgueil démesuré et ne supportait pas que son client soit enfermé malgré sa relaxe, un peu comme si le système le privait de sa victoire, et ça il ne pouvait le supporter.

– Ce qui implique qu'il aura certainement rencontré Isabelle Dervier ? murmura-t-elle.

– Pardonnez-moi, de qui parlez-vous ?

– Ça n'a pas d'importance. Et comment a-t-il réagi lorsque Deschamps a été libéré et a tué à nouveau ?

– De façon ignoble... Et il faut dire que c'est là une des raisons pour laquelle nous avons accédé à son désir de nous quitter.

– Qu'est-ce que vous entendez par ignoble ?

– Interviews dans la presse disant qu'il ne regrettait rien, que c'était son boulot de le défendre, qu'il l'avait bien fait et tant pis pour la société. Qu'il le referait si c'était à refaire. Et pas un seul mot de compassion pour la douleur des familles des victimes.

– Eh bien !

– Oui, approuva-t-il sur un ton attristé. Dès ce moment, nous nous sommes véritablement opposés. Voyez-vous, il est exact de dire que notre métier est de défendre tout le monde y compris les pires ordures. Chacun à le droit à être défendu, et notre rôle est essentiel pour éviter que nous nous retrouvions dans un système où l'arbitraire serait roi. Mais ça ne nous empêche pas d'avoir un peu de décence et de comprendre que, parfois, il nous arrive de causer plus de mal que de bien.

– Et ça, il ne voulait pas l'accepter ?

– Je vous l'ai dit. Ce n'était pas les principes qui l'intéressaient mais la victoire. Le reste, il s'en fichait.

– Donc, vous vous êtes opposés ?

– Oui. Et nous avons fini par nous séparer, quelques mois plus tard. C'est pour cela d'ailleurs que nous ne sommes pas restés en contact... Pour être plus précis, je ne pouvais plus le sentir.

– Je vois, dit-elle. Ça me paraît compréhensible.

Ils avaient dépassé l'arche de pierre et
approchaient du château de Chantilly.
Amélie s'arrêta, le souffle coupé par la
beauté du lieu : un bijou d'albâtre dans un
écrin de douves et de jardins à la française.

– Il est beau, n'est-ce pas ? demanda-
t-il.

– Magnifique !

– Je viens le voir tous les jours. Quand
je doute, ce qui est, je l'avoue, de plus en
plus fréquent, ce chef-d'œuvre me rappelle que l'homme est aussi capable de
beauté.

– Je devrais le faire, moi aussi, convint
Amélie. Ce ne serait pas du luxe, compte
tenu de ce que je vois tous les jours, dans
ma vie professionnelle.

Il sourit avec mélancolie, et ils conti-
nuèrent d'avancer sur le chemin de terre
caillouteuse. Oudard obliqua dans la
direction de l'hippodrome, s'arrêtant
devant la barrière qui les séparait du
champ de course proprement dit.

– Savez-vous quand même où réside
Béruse maintenant ? demanda Amélie.

Après tout, vous pourriez avoir à le contacter sur un ancien dossier.

– Je dispose d'un numéro de portable que je vous communiquerai dès que nous serons de retour. Il a vendu sa maison de Chantilly et possède un pied-à-terre à Paris. Pour les Antilles ou l'Afrique, je ne sais pas.

– Tout ce que vous pourrez retrouver nous sera utile... A-t-il une famille ?

– Il a été marié, je crois, mais je ne sais pas où habite sa femme. Il était très secret sur ce sujet et étonnamment, nous ne l'avons jamais rencontrée. Il avait aussi une fille qu'il ne voyait que rarement, d'après ce que j'en sais. Dans ce domaine, je ne pourrai malheureusement pas beaucoup vous aider... Ainsi vous pensez qu'il est peut-être mort ?

– Nous avons un doute, et pour être honnête, la piste est encore très floue. Il est tout à fait possible que nous fassions erreur. S'il a vraiment une fille, il nous faudra la retrouver de façon à opérer une comparaison d'ADN. Ce qui n'est pas indispensable puisqu'il nous suffira de visiter sa maison, pour obtenir des échantillons. Mes adjoints s'occupent, en ce moment, d'en dénicher l'adresse.

– Je vois, dit-il.

Ils marchèrent encore une bonne demi-heure, puis reprirent le chemin du retour. Sans réellement parler. Dans un silence amical, presque affectueux. Oudard était de toute évidence un sage, qui avait énormément réfléchi sur le sens de la vie, et Amélie ne put s'empêcher de savourer chaque instant de sa compagnie.

Avant de parvenir au bureau, il s'arrêta quelques secondes pour acheter une magnifique rose blanche qu'il lui offrit, malgré son refus. Elle se souvint alors des fleurs de David. À cette pensée, elle ressentit un vague sentiment de culpabilité qu'elle fit en sorte d'évacuer au plus vite. Elle et lui, ce n'était pas possible. Ce baiser qu'ils avaient échangé était une erreur qui ne se reproduirait plus.

Alors, pourquoi ce souvenir brûlant sur ses lèvres ?

23

Boulogne-Billancourt – 27 juin
22 h 00

Le parking m'apparaît quelque peu défoncé, les pavés disjoints et irréguliers incitent à marcher prudemment. C'est un coup à se tordre la cheville. Du travail en perspective pour le propriétaire, s'il veut pouvoir continuer à recevoir des filles en talons aiguilles.

Ça s'appelle BB Antilles. Je ne connaissais pas l'endroit, bien que friand de la chaleur et du rythme de cette musique des îles, dont je devine les échos, au pied de la passerelle d'accès. Il s'agit, en effet, d'une péniche réaménagée dont la superstructure, une immense surface vitrée, me laisse deviner, sur la gauche, une salle de restaurant. Sur la droite, un espace transformé en salle de cabaret avec son estrade, sur laquelle joue et danse un trio de musiciens. Tout un décor de plantes vertes donne à l'ensemble une impression de luxuriance tropicale. Une autre entrée, à la poupe, doit certainement mener à la boîte de nuit proprement dite mais, pour l'instant, personne ne s'y trouve, ce qui m'autorise à conclure qu'elle doit ouvrir un peu plus tard.

C'est ici que travaille la fille unique de Victor Béruse, Flore, que j'ai enfin réussi à identifier et à situer.

Au moment de la rencontrer, je temporise, à la recherche d'une stratégie d'approche prudente puisque je n'ai entrepris aucune démarche officielle. Je me suis simplement contenté d'appeler pour m'assurer qu'elle serait bien présente, ce qui m'a permis d'apprendre qu'elle était responsable de toute l'activité restauration.

J'ai bien tenté de contacter Amélie pour lui transmettre l'information mais sans aucun résultat. À croire qu'elle ne décroche même plus ! Malgré mon naturel plutôt optimiste, j'en viens à me demander si elle a encore envie de me parler. Je lui laisse un message supplémentaire pour l'aviser de ma découverte et lui communiquer les coordonnées de l'endroit où je me trouve, ce soir.

Toujours sans réponse...

J'abandonne la douceur extérieure de la nuit pour affronter les harmonies d'un zouk endiablé. Flore Béruse n'est pas disponible pour le moment, aussi me conseille-t-on de prendre place à l'une des tables, proche de l'orchestre.

Ayant déjà expérimenté les effets diaboliques et migraineux du « ti-ponch », le tord-boyau local qui présente l'incontestable mérite de vous réveiller d'abord pour mieux vous assommer ensuite, au risque de faire exploser le ballon de gendarmerie le mieux intentionné, je porte mon choix sur une boisson pour dames. Un « planteur » donc pour moi, puis deux, pendant que je passe mon temps à détailler les musiciens aux coiffures disparates, crâne rasé, panama ou tresses... Leur tenue est tout aussi hétéroclite : du simple tee-shirt noir à la magnifique chemise à jabot, sous veste couleur lie-de-vin. Le guitariste arbore un ensemble blanc intégral et quasi fluorescent, contrastant avec sa peau d'ébène. Ils n'ont en commun que leur talent pour la musique.

Pendant que je déshabille du regard la jeune chanteuse qui se déhanche au rythme saccadé et envoûtant de la batterie, une autre jeune femme s'interpose et me fixe avec des yeux exceptionnels. L'iris de cette Antillaise est doré et pailleté. Une couleur or qui donne à son regard une profondeur fantastique et inhabituelle. De vrais yeux de chats qui m'interpellent :

– Je suis Flore Béruse. Vous vouliez me rencontrer ?

Debout, je préfère parler près de son oreille, tellement l'ambiance est sonore.

– Oui... et c'est important. Y'a t-il un endroit où l'on puisse discuter tranquillement ?

Elle acquiesce et me fait signe de la suivre. Nous quittons le côté bar pour entrer dans le restaurant. Une petite table est inoccupée au fond, près de la verrière, d'où l'on voit passer une autre péniche flottant sur le fleuve. Mais je ne suis pas homme à me laisser distraire longtemps par le paysage, quand je distingue soudain, en arrière-plan, la silhouette d'Amélie Boursin, près de la porte d'entrée. Pour une surprise, c'est une surprise ! Mon étonnement a dû être remarqué puisque Flore Béruse se retourne et suit la direction de mon regard.

– Cette femme, aussi, est venue pour vous rencontrer... Elle est avec moi.

Ah ! si seulement c'était vrai !

Amélie a enfin repéré mes grandes ges-
ticulations à son intention. Elle s'approche et prend place à mes côtés. Je fais
les présentations, évitant de mentionner
sa profession qu'elle ne juge pas utile de
préciser non plus. Une politesse en amenant une autre, Flore nous montre qu'elle
est, elle aussi, parfaitement éduquée en
faisant signe à un serveur qui accourt
pour prendre nos commandes. Jamais
deux sans trois. « Planteurs » pour tout le
monde.

– Alors ? s'impatiente-t-elle.

Elle a sûrement beaucoup de travail et
ne souhaite pas perdre trop de temps.

– Nous souhaitons vous poser des questions au sujet de votre père, Victor
Béruse.

Le visage de la fille s'est brutalement
durci en un rictus de colère. Ma phrase
n'est pas encore achevée qu'elle se lève
déjà. Fin de l'entretien ! Je ne m'attendais
pas du tout à cette réaction et en reste surpris, tandis qu'Amélie réagit beaucoup
plus rapidement que moi.

– Je suis officier de police, mademoiselle, et il est vraiment important que je
vous parle.

Flore s'est arrêtée à l'énoncé du mot

« police » et nous regarde longuement avant de se rasseoir. Manifestement à contrecœur ! De toute évidence, ce n'est pas la fifille à son papa !

– Que voulez-vous ? demande-t-elle avec agressivité.

– Tu me présentes tes amis, chérie ?

Un jeune Antillais fin et élancé, plutôt beau garçon, vient d'arriver à nos côtés. Je me lève pour le saluer, laissant les deux femmes continuer à se dévisager en chiens de faïence. Il est plus grand que moi. Il se présente :

– Roland Marnier, je suis le responsable de l'établissement.

Son sourire s'efface à la vue du visage maintenant tendu et renfrogné de celle qui semble être sa compagne. Il nous regarde, interrogatif.

– Ce ne sont pas des amis, mais des policiers qui veulent des renseignements sur mon père.

Elle a quasiment craché le dernier mot. « Pas l'amour fou dans la famille », me dis-je. Marnier s'asseoit à ses côtés.

– Que souhaitez-vous savoir ? interroge-t-il.

– Quand Flore Béruse a rencontré son père pour la dernière fois ? Et si elle sait

où il se trouve maintenant ? lui répond
Amélie.

– Alors, c'est très simple, siffle à nouveau la fille, se rebiffant une fois de plus.
Je ne l'ai pas vu depuis plusieurs années
et espère bien ne plus jamais en avoir l'occasion. Quant à savoir où il est maintenant, je m'en balance !

Puis elle s'en va en trombe, visiblement
enragée. Amélie fait mine de se lever pour
la rattraper, mais Marnier l'arrête de la
voix :

– Je vais vous expliquer, dit-il.

Le serveur arrive pour déposer la
commande. Nos « planteurs » ainsi qu'un
« ti-ponch » pour le taulier qui attend que
le loufiat soit reparti avant de s'exprimer :

– Flore ne sait vraiment pas où se
trouve son père et elle ne veut pas le
revoir... Ils sont fâchés.

Je lui souris et plaisante pour détendre
l'atmosphère :

– Je ne suis pas très observateur mais
ça, je pense que nous l'avions deviné. Une
raison particulière ?

Il hésite et je lui précise :

– Nous devons savoir. Soit vous nous le
dites, soit nous devrons la convoquer
pour qu'elle nous le dise elle-même. Alors

autant faire les choses de façon cool. On
n'est absolument pas là pour vous causer
des problèmes.

Il acquiesce, compréhensif, entendant
clairement le message.

– Sa mère est morte depuis un peu plus
de deux ans, et Flore est persuadée que
c'est de la faute de son père.

– C'est-à-dire ?

– Victor Béruse est un égoïste qui a
toujours vécu pour lui, pour ses plaisirs,
son travail ou ses maîtresses, et a quasiment délaissé sa famille. C'est le type de
gars qui méprise tout le monde et ne s'intéresse qu'aux personnes susceptibles de
lui rendre service. Même quand sa femme
s'est retrouvée mourante à l'hôpital, il n'a
pas jugé utile de se déplacer. Flore le hait
et n'est absolument plus concernée par ce
qu'il peut faire maintenant.

– Sa maman est morte de quoi ? intervient Amélie.

– Leucémie.

– Et vous-même ? Vous avez des
contacts avec lui ? continue-t-elle.

Il secoue la tête :

– Non, et cela pour deux raisons. Non
seulement c'est un fumier que je n'apprécie pas mais surtout, j'aime Flore et je sais

que je la perdrais si je le faisais. Comme je vous l'ai dit, elle le déteste.

– Ce qui ne doit pas toujours être simple à assumer, psychologiquement parlant, commente Amélie.

Il fait la moue.

– Elle semble y parvenir.

– Sauf quand on aborde directement le sujet, réplique ma dulcinée. Sa réaction est alors un peu... épidermique.

Il hausse les épaules sans répondre. Le silence revenu me permet de mieux entendre la voix de la chanteuse. Elle semble pleurer un amour disparu. Marnier s'enfile cul-sec le reste de son verre, sans rougir ou arrêter de respirer, ce qui témoigne que cet alcool doit lui être assez familier.

– D'autres questions ?

J'ai besoin de préciser un ou deux détails :

– Ça fait longtemps que vous êtes ensemble, Flore et vous ?

– Un peu plus de deux ans.

– Vous avez donc eu l'occasion de rencontrer sa mère ?

– Malheureusement non. Flore avait un appartement à Paris et travaillait dans une autre boîte où j'ai fait sa connaissance. Ses parents, eux, vivaient à Chantilly. Et elle est morte très peu de temps après notre rencontre.

– Et vous êtes certain de ne disposer d'aucune adresse ou numéro de téléphone du père ? Même en cas d'urgence ?

– Absolument certain... Pourquoi, d'ailleurs, vous intéressez-vous à lui ?

C'est Amélie qui se charge du baratin :

– Son nom a été évoqué dans le cadre d'une enquête et nous avons besoin de lui parler, c'est tout.

– Bien, accepte-t-il. Alors, si ça ne vous dérange pas, je vais aller m'occuper de l'ouverture de la boîte de nuit. Je serai là si vous pensez à d'autres questions... Et surtout, dit-il en souriant, profitez-en pour savourer le reste de votre verre. Prenez votre temps.

– Nous n'y manquerons pas, lui dis-je. Merci d'avoir fait l'effort de nous répondre. Chouette endroit que vous avez ici !

Il s'en retourne, nous laissant seuls tous les deux. Plutôt que de me tordre le cou à la regarder, je décide de changer de place pour m'installer en face d'elle, sur le fauteuil laissé libre par Marnier.

Elle est pensive et ne me regarde pas.

– À propos, bonjour ! lui dis-je, avec beaucoup d'à-propos.

Elle ne répond pas, me laissant poursuivre :

– Je suis content que tu aies finalement trouvé le temps d'écouter mes messages.

Elle relève enfin les yeux. Je la sens un peu sur la défensive et n'en suis pas vraiment surpris.

– Je travaillais aujourd'hui.

Je fais semblant d'y croire. Il est bien évident que seule sa charge de travail l'a empêchée de me répondre au téléphone. Quelqu'un en douterait-il ? Alors je concède, ironique :

– C'est certain... Ça c'est bien passé ?

– Oui, me dit-elle, sibylline.

– Tu es toujours de service, ce soir ?

– Oui, précise-t-elle. Pourquoi ? Tu avais un projet ?

– Si on profitait un peu de l'endroit en allant, par exemple, s'asseoir plus près de l'orchestre.

– Tu entends mal, d'ici ?

– Non.

– Alors restons, tu veux bien ?

Elle m'a demandé l'autorisation ou je me trompe ? Dans tous les cas, ça ressemble à un accord. Je ne contredis pas.

– Pas de problèmes.

Progressivement, la discussion s'anime, quittant le registre de l'enquête pour aborder des sujets plus personnels, même si le souvenir de notre baiser ne risque pas d'effleurer ses lèvres. Une demi-heure plus tard, elle se détend enfin, avant de prendre congé.

– Bon, il est temps que je rentre.

– Je te raccompagne à ta voiture.

Elle ne refuse pas et se contente de me laisser la suivre, après avoir réglé l'addition.

– Je n'ai pas pu me garer ici. Je suis à l'extérieur, me signifie-t-elle.

– Raison de plus pour que je vienne avec toi, lui dis-je. Je ne vais pas laisser une jolie femme chercher sa voiture, toute seule dans le noir.

J'ai un peu exagéré l'obscurité, la lune est claire et les réverbères allumés. En fait, on distingue parfaitement le cadre autour de nous. Mais elle a compris l'intention et je devine un demi-sourire au coin de ses lèvres.

Elle se dirige vers une « 307 » et tire un lourd trousseau de clefs de la poche de sa veste me permettant de deviner, par la même occasion, l'étui d'une arme portée à la ceinture. Pas le côté Mata Hari avec le pistolet entre les seins, mais pas non plus le côté représentante en articles de pêche.

Elle ouvre sa portière et se retourne. Ses yeux semblent luire sous la caresse de la lune.

– Monte ! m'ordonne-t-elle.

24

Paris – 28 juin – 0 h 30

Je suis monté dans sa voiture, pensant qu'elle souhaitait que nous parlions, mais elle ne m'a pas adressé la parole, ni regardé, ni touché, ni embrassé. Elle s'est simplement contentée de démarrer et de prendre la route, conduisant en silence avec une espèce de froide détermination. Comme une personne résolue à prendre une décision qu'elle sait mauvaise, mais qu'elle décide d'assumer, quoi qu'il lui en coûte.

Devinant qu'elle ne souhaite pas vraiment m'entendre, je ne dis rien, me contentant d'observer son profil de temps à autre, occupant mon regard, le reste du temps, à observer les immeubles qui défilent.

Je ne veux pas spéculer sur ce qui pourrait se passer maintenant, cette fille étant totalement imprévisible ! Même quand elle finit par s'arrêter devant chez elle, ne refermant les portes du véhicule qu'après m'avoir laissé descendre, ce qui, soit dit en passant, est plutôt sympa. Puis elle entre dans l'immeuble sans se retourner, me traînant toujours sur ses talons. Deux étages avalés à la va-vite avant de refermer la porte de son appartement derrière moi.

Je reste collé au battant, encore incertain de la conduite à tenir, quand elle se retourne brutalement pour me rouler la galoche du siècle ! Elle m'a empoigné par le revers de mon blouson et plaqué au mur !

Mais je n'en ai cure. Cette bouche me dévore et m'envahit ! J'ai tenté jusque-là de conserver le contrôle mais je n'en peux plus, moi non plus ! Je l'empoigne fermement, ne relâchant la pression qu'à un léger gémissement de douleur. Sa côte blessée, je l'avais oubliée ! Pour la ménager, je lui saisis alors les hanches, l'attirant plus encore contre moi... à l'absorber. Notre désir s'accroît encore, si c'est possible. Notre étreinte devient passionnée, affamée, presque brutale. Nos sens s'imprègnent de l'autre. Nos mains, maintenant dotées de curiosité impatiente, dévoilent nos mystères et nos secrets. Nous sommes hors du temps et donc, des lustres plus tard, le lit finit enfin par nous accueillir, nos vêtements envolés nous laissant libres d'unir nos corps en cette communion si ardemment désirée dont l'intensité finit par nous laisser assouvis et surpris à la fois.

Nous restons allongés un moment, nos nudités toujours enlacées, chuchotant nos pensées avant que l'appétit ne nous revienne. La douceur et la tendresse prédominent cette fois, nous transportant en un long crescendo de plaisir qui nous abandonne dans les bras l'un de l'autre, repus, blottis, endormis dans l'aube qui s'approche.

Je suis réveillé par quelques notes de musique. Je les reconnais mais n'ai pas le temps de les identifier. La lumière de la lampe de chevet m'éblouit. J'ouvre prudemment les yeux pour apercevoir Amélie, assise sur le lit, le drap lui recouvrant les jambes, son portable à la main : c'étaient bien les notes de sa sonnerie. Je l'observe, l'écoutant parler sans vraiment comprendre le sens de la conversation. Mes yeux caressent sa silhouette, s'attardant longuement sur la poitrine lourde mais ferme que je me souviens d'avoir particulièrement appréciée, plus avant dans la nuit. Six heures du matin, c'est un peu tôt pour moi. Je replonge ma nuque dans l'oreiller et me laisse aller à rêvasser. Je me sens bien, comblé et surtout heureux de me réveiller à côté d'elle, expérience dont je voudrais qu'elle se renouvelle chaque matin...

Je l'entends enfin conclure : « Bien ! Au Quai dans deux heures. » Puis elle coupe la communication et se retourne vers moi, une lueur espiègle dans les yeux :

– L'inconvénient de vivre avec la Crim' ! Et encore, ça aurait pu se produire au milieu de la nuit.

J'apprécie l'emploi du verbe « vivre ». Une connotation de durée ! Plus que dormir ou baiser. J'ai envie de passer du temps avec elle.

Son visage se fait plus grave :

– Tu te rends compte que nous venons de faire une énorme connerie, me dit-elle. Et ça ne va pas être simple à gérer.

– J'assume, lui dis-je. Et je ferai en sorte que ça ne te pose pas de problèmes.

– Il y en aura, affirme-t-elle, en haussant les épaules. Mais j'en ai un peu marre

de ne faire toujours que ce qui est raison-
nable. Alors...

Elle se penche sur moi pour m'embrasser, et je sens la pointe de ses seins titiller
ma poitrine, réveillant mon désir.

– Quel est ton programme ? me murmure-t-elle à l'oreille.

– D'abord retourner à la péniche pour
récupérer ma voiture qui doit se poser
plein de questions, abandonnée toute
seule, cette nuit.

– Peut-être pas tout de suite, alors... Dans
deux heures, j'ai quelque chose de prévu. Et
il ne me faudra qu'une heure pour me préparer et m'y rendre. Il nous reste donc une
heure à occuper. Que crois-tu que nous
pourrions faire pendant tout ce temps ?

Cette proposition ne serait-elle pas malhonnête ? Dans le doute, je ne retiens plus
l'envie que j'ai d'elle. Je l'attire contre moi.

– On trouvera bien quelque chose...

25

Paris – 28 juin – 12 h 00

– Salut, François, je te dérange ?

Interpelé par cette voix familière, Simeoni leva les yeux du dossier qu'il était en train d'étudier, découvrant, dans l'embrasure de la porte, la silhouette longiligne du commissaire divisionnaire, Patrick Maynard.

– Non, je t'en prie, entre !

Son patron ne se le fit pas dire deux fois et pénétra dans la pièce, prenant rapidement place dans l'un des sièges faisant face au bureau.

– Comment ça se passe ? demanda-t-il.

– Plutôt bien, répondit poliment François.

Maynard ne se trouvait certainement pas là pour lui parler de la pluie ou du beau temps, ni pour échanger des propos sur leur santé respective. Ils abordèrent rapidement l'évolution des dossiers en cours, avant d'en venir au fait :

– Je viens d'avoir Chauvet au téléphone.

– Chauvet ? Le juge d'instruction en
charge de Highlander ?

– Lui-même. Il tenait à m'informer que
la Chancellerie lui met la pression.

– C'est-à-dire ? Qu'est-ce que le ministère vient faire là-dedans ? Un juge d'instruction n'a pas à rendre de comptes.

– Boursin lui a demandé l'autorisation
de visiter, ce matin, la maison d'un certain Victor Béruse.

– Oui, confirma François, je suis au
courant. On le soupçonne d'être la
seconde victime, celle qu'on n'avait pas
encore identifiée.

– D'après Chauvet, le vrai problème
tient à la conviction d'Amélie que l'affaire
Highlander pourrait être liée à l'ancien
dossier Deschamps/Molina. La vengeance
de Xavier Molina se poursuivrait donc
après avoir commandité l'exécution de
l'assassin de ses filles, ce qui l'amènerait
à s'intéresser à d'autres personnes, responsables de la libération précédant les
meurtres.

– Il s'agit, en effet, d'une piste sérieuse,
approuva François. Et alors ?

– Alors, répliqua Maynard, il s'avère

que le dossier Molina est explosif. Tu te souviens de la levée de boucliers, du ram-dam causé par sa mise en examen, la der-nière fois, alors qu'il était soupçonné d'avoir fait tuer Deschamps. Le non-lieu qu'il a obtenu a sauvé la situation, in extremis.

– Non-lieu qui n'a bien évidemment pas été arrangé ! sourit François avec un zeste de cynisme.

– Paradoxalement, je ne le crois pas, formula Maynard. Il me semble me sou-venir que, si les soupçons étaient nom-breux, le dossier de l'accusation lui-même était plutôt vide et ne reposait que sur les déclarations du père à la télé.

Simeoni ne répondit rien et le laissa poursuivre, commençant à comprendre où il voulait en venir.

– Et la Chancellerie ne veut pas que cette situation se reproduise, expliqua Maynard, surtout si on tient compte des circonstances... Cette fameuse liste qui divise le pays... y compris les forces de police.

– D'où la consigne : « Ne touchez pas à Molina ! » grinça François.

– Pas tout à fait ça ! Tu sais très bien que je ne dirai jamais à un de mes hommes comment il doit mener son enquête... Et surtout pas comment la couler. Je ne mange pas de ce pain-là et je considère que personne n'est au-dessus des lois.

– Par contre ?

– Par contre, il est clair que toute intervention contre Molina devra se faire avec un maximum de preuves... Pas des soupçons, des preuves ! Chauvet ne délivrera jamais de commission rogatoire sans cela. Même un contact informel est exclu tant que nous n'aurons pas un dossier très solidement ficelé.

Simeoni sifflota doucement :

– Ça ne va pas simplifier les choses !

– Si c'était simple, ça ne serait pas pour nous, rétorqua Maynard, paraissant lui-même ulcéré de cet état de fait... Dans cette situation, j'aimerais que tu reprennes la direction de l'enquête.

– Je te demande de ne pas le faire, Patrick ! Ça reviendrait à déconsidérer Boursin alors qu'elle abat un boulot magnifique.

– C'est toi qui dois reconsidérer, François. Je suis tout aussi conscient que toi de sa valeur, mais elle est maintenant en première ligne sur un dossier des plus sensibles... Ce qui veut dire que la moindre erreur pèsera très lourd dans sa carrière. En reprenant l'enquête, tu froisseras peut-être temporairement son ego, mais tu la protègeras.

– Est-ce un ordre formel ?

– Oui... Et pas négociable. Si jamais nous devions à nouveau suivre la piste Molina, il nous faudrait apparaître irréprochables, pour ne pas nous exposer à la critique. Et il sera mieux perçu d'avoir un commissaire principal confirmé qui s'occupe du dossier plutôt qu'un capitaine, même futur commissaire, aussi douée soit-elle.

« Il aurait peut-être encore mieux valu avoir un divisionnaire », songea Simeoni, un rien caustique, regrettant déjà cette pensée qu'il savait injuste, car Maynard n'était pas du genre à se défausser de ses responsabilités, et s'il transmettait le dossier à Simeoni plutôt que de s'en occuper lui-même, c'est parce que Boursin était considérée depuis longtemps comme sa disciple, et qu'il avait suivi l'affaire depuis le début à travers elle.

Il soupira, se rangeant finalement aux arguments énoncés :

– D'accord, Patrick. Je prends en

charge. Et je te tiendrai bien évidemment au courant.

Celui-ci hocha la tête, sourit, puis se leva. Quelques secondes plus tard, Simeoni partait à la recherche d'Amélie, dont il savait qu'elle se trouvait quelque part dans les locaux...

26

Paris – 28 juin – 14 h 00

D'un regard, François fit le tour de table. Ils étaient tous là : Amélie, sur sa droite, puis Serge Dolli, Roger Salens et enfin Olivier Moureau, à qui il avait jugé utile de demander d'être des leurs, aujourd'hui.

– Bien, commença-t-il sans attendre. Deux choses à dire. On m'a demandé, et je précise bien pour des raisons politiques uniquement, de reprendre la responsabilité du dossier Highlander... Il ne s'agit, en aucun cas, d'une remise en cause des compétences du capitaine Boursin ou de votre boulot à tous. Mais la présence de Xavier Molina dans le dossier en effraie plus d'un à la Chancellerie et ils tiennent à ce qu'un haut gradé soit impliqué, qui puisse ramasser le coup de bâton, en cas de problème.

Quelques petits rires polis fusèrent

autour de la table à ces mots, ils avaient tous fait leur devoir et savaient de quoi il parlait. Simeoni jeta un rapide coup d'œil à sa voisine qui restait imperturbable. Pour dire vrai, il avait même été surpris de son absence de réaction quand il lui avait annoncé qu'il reprenait l'affaire. Elle semblait avoir parfaitement compris la logique de cette intervention et l'avoir acceptée ce qui, encore une fois, témoignait de son intelligence.

– Second élément, renchérit-il. La présence, avec nous, du capitaine Moureau que vous connaissez tous, maintenant... Il nous rejoint sur ce dossier dans la mesure où il y a été impliqué depuis le début et connaît bien la géographie des lieux du crime, mais aussi parce qu'il sera probablement des nôtres, au terme de cette enquête. On peut considérer que ce sera son examen de passage.

– Il ne débute pas avec le plus simple ! lança Salens.

Simeoni reprit sans commentaire :

– On passe au bilan maintenant... De façon à ce que tout le monde sache exactement où nous en sommes.

Amélie prit instantanément le relais :

– D'abord, une découverte qui nous

ouvre de nouvelles perspectives, expliqua-t-elle. Ce matin, je me suis rendue, avec l'autorisation du juge, dans l'appartement parisien de Victor Béruse, rue de la Pompe dans le XVIe, afin d'y recueillir des échantillons d'ADN et aussi voir si nous pouvions déterminer, avec précision, son emploi du temps. Comme vous le savez, nous pensons tout à fait possible qu'il soit la seconde victime, non encore identifiée, de Highlander. Or, en perquisitionnant chez lui, nous avons découvert sur son répondeur, pas moins de six messages en provenance d'Isabelle Dervier, étalés sur une durée de trois semaines et commençant quelques jours après la date estimée de la mort de l'homme des catacombes. Elle a peut-être appelé à d'autres reprises, mais le répondeur était saturé et n'a pas enregistré la suite... Or, si on en juge par la teneur de ces messages, Béruse et Dervier étaient amants.

– Sans blague ! s'étonna Moureau.

Il est vrai que, venant d'arriver dans le groupe, il était le moins informé ; cette position pouvait justifier cet écart, songea François, quelque peu agacé par l'inutilité de la remarque. Amélie n'avait pas semblé entendre et continuait :

– En partant du principe que Béruse est bien le disparu des catacombes...

– À ce propos, quand aurons-nous le retour du labo ? coupa Simeoni.

– En PCR, nous aurons des résultats préliminaires dans un peu moins de deux jours, répondit Dolli.

– Voyez si vous pouvez faire accélérer ça ! ordonna le commissaire, avant de poursuivre :

– Pardonne-moi, Amélie, tu disais ?

– En admettant que le cadavre soit bien celui de Béruse, et compte tenu de cette liaison amoureuse, nous pouvons ajouter d'autres suspects à notre liste... en dehors de Xavier Molina, bien évidemment.

– À savoir ? interrogea à nouveau Simeoni.

– J'en vois deux pour le moment, répondit Amélie, le mari, d'abord, qui est du coup remis en selle. Tuer l'amant de sa femme est la plus vieille histoire du monde.

– Et ?

– Et, éventuellement, la fille même de Béruse. Elle hait son père qu'elle considère comme responsable de la mort de sa mère. Ça peut paraître totalement tiré par les cheveux, mais c'est une hypothèse que nous ne pouvons pas encore exclure.

– Je n'imagine pas facilement une femme qui décapiterait et couperait les mains à des cadavres, contra Moureau, décidément enclin à participer au débat.

– Elle pourrait y avoir été aidée, supposa Dolli. On pourrait même lui avoir rendu service. Il faudra aussi nous renseigner sur la famille de sa mère, on ne sait jamais.

Simeoni réfléchit quelques secondes, avant de suggérer :

– Il existe malheureusement une autre possibilité. Béruse était totalement imbuvable et généralement peu apprécié ; on peut donc imaginer qu'une personne, qui nous est encore inconnue, l'ait assassiné. Là-dessus, arrive Isabelle Dervier qui, inquiète du silence de son amant, part à sa recherche et tombe sur le tueur qui s'en débarrasse aussi. Ça expliquerait, d'ailleurs, le délai entre les deux crimes.

– Et ça sous-entendrait qu'elle connaissait l'assassin, puisqu'elle l'aura contacté en recherchant Béruse. Elle n'aurait pas publié un message dans le journal, vu sa propre situation matrimoniale, précisa Salens.

– Vrai, approuva Dolli.

– À ce propos, questionna Simeoni, avez-vous réussi à déterminer la raison pour laquelle Béruse était si haineux envers le système ?

– Non, pas vraiment, répondit Boursin. Peut-être était-ce simplement dans sa nature ? Il est évident qu'il voulait toujours gagner et à tout prix, et qu'il avait donc une dent contre les autres en général. Je pense que pour pouvoir apprécier ses motivations, il faudrait procéder à une étude approfondie de son passé, mais ce n'est pas prioritaire pour l'instant... Pas vraiment un gars très sympathique, en tout cas.

– Ce qui ne lui a pas profité, finalement, constata Dolli.

– Quoi qu'il en soit, surenchérit Simeoni, il y a quelque chose que je n'arrive pas à comprendre dans toute cette histoire, c'est le lieu du crime. Pourquoi les catacombes ? C'est tout à fait inhabituel comme endroit. D'où le tueur connaissait-il ce lieu ? J'ai le sentiment qu'on tournera en rond tant qu'on aura pas trouvé la réponse à cette question.

– Si l'assassin était une relation de Béruse, n'était-il pas possible qu'il soit aussi un membre du personnel ou un ancien employé de l'hôpital Broussais ? avança Moureau. Un médecin, par exemple, dont il se serait fait un ennemi, à une occasion ou à une autre.

– Bonne idée ! approuva Amélie. Elle vaut la peine d'être creusée.

Après un moment de silence et de réflexion, Simeoni comprit qu'ils avaient fait le tour des questions. Le bilan n'était pas très positif mais il fallait néanmoins distribuer les tâches, en attendant d'obtenir une certitude sur l'identité du cadavre.

– Roger, ordonna-t-il, tu retournes à Broussais. Il faut savoir si Béruse, Dervier ou même Molina, y ont un jour été hospitalisés. Et si oui, qui s'est occupé d'eux ? Ça nous permettra peut-être de découvrir une éventuelle relation avec un médecin ou quelqu'un d'autre. Vérifie aussi leur histoire médicale à tous les trois !

– Pas de problème, accepta Salens.

– Serge, je te charge de l'agenda et du carnet d'adresses de Béruse. Tu me l'épluches et tu vois si tu peux en tirer quelque chose d'utile. Puis tu t'occuperas de sa fille. Je veux tout savoir sur elle et sa famille en général. Si tu as besoin de quelqu'un pour t'aider, fais-le moi savoir.

– Ok !

– Amélie, tu creuses la piste du mari. Moureau se joindra à toi. Il n'est pas encore suffisamment expérimenté pour rester seul... Au moins, il aura la meilleure des formations comme ça, sourit-il. Et il pourra continuer à gérer la relation avec ses collègues de l'E.R.I.C.

Elle ne répondit rien, se contentant de le regarder.

– Et moi, conclut-il, je vais commencer à flairer subtilement la piste Molina. C'est de la haute voltige vu que c'est un ancien capitaine de gendarmerie qui connaît tous les trucs. De plus, nous n'avons pas le droit de l'approcher sans preuves formelles. Mais je trouverai bien un moyen... Plus de questions ? La séance est levée...

27

Neuilly-en-Thelle (Oise) – 28 juin 15 h 00

Si j'en juge d'après le dossier que j'ai achevé de compulser ce matin, je vais maintenant rencontrer le malheur personnifié. Xavier Molina a en effet accepté de me recevoir.

Il est très rare que j'avoue ressentir un certain malaise à l'idée d'interviewer quelqu'un, mais c'est le cas aujourd'hui. Or, je ne peux pas me défausser, cet entretien est capital pour avancer dans l'affaire Highlander. Je marche alors d'un pas décidé vers sa maison, sans toutefois cesser de m'interroger. Comment l'aborder, comment m'adresser à quelqu'un de désespéré qui a vraiment tout perdu ?

Son histoire est l'une des pires que j'aie jamais entendues. Et pourtant, j'ai de l'expérience en la matière ; mon passé de journaliste m'a déjà donné l'occasion de côtoyer les plus belles saloperies.

La vie de Xavier Molina débute de façon plutôt heureuse, même si sa femme décède brutalement après neuf années de mariage, à la suite d'un accident de voiture, le laissant élever seul ses trois filles en bas âge. Avec le temps, il se reprend, réussissant à réorganiser sa vie autour de son métier de gendarme et de ses enfants. Mais tout s'écroule avec l'arrivée de Guillaume Deschamps qui passe, un soir, en voiture devant le cimetière d'où sortent Francine, quatorze ans, et Magali, dix-sept ans, venues fleurir la tombe de leur mère. On ne retrouve leurs corps affreusement martyrisés que deux jours plus tard, dans les bois environnants, et c'est grâce à la présence d'esprit d'un témoin providentiel qui a remarqué les deux jeunes filles montant dans un véhicule, qu'on finit par identifier Deschamps qui, comme dans le cas de ses trois premiers crimes, ne fait aucune difficulté pour avouer.

Ivre de douleur, Xavier Molina lance alors en direct, sur une chaîne de télévision française, l'appel qui transformera une simple affaire criminelle, aussi bestiale soit-elle, en une affaire d'État. Il offre toutes ses économies, soit cinquante mille euros, à quiconque tuera Deschamps, refusant de se rétracter malgré toutes les pressions, et allant même jusqu'à retirer cette somme en liquide de son compte bancaire, pour l'entreposer dans un coffre. Je vous passe les péripéties judiciaires, bien évidemment aggravées par la mort de Deschamps en prison, qui aura certainement glissé sur un savon puisqu'on le retrouvera égorgé et émasculé !

Molina est mis en accusation bien que l'argent soit toujours là. De la détention préventive pour lui aussi, dont il sort finalement libre, à l'issue d'un procès-fleuve qui s'achève en un non-lieu propre à arranger tout le monde. Pour beaucoup, sa cause est devenue un enjeu national. D'une violence verbale rarement atteinte, s'engage alors le débat sur le sort à lui réserver. Le pays est divisé profondément, le gouvernement prêt à vaciller, confronté à une furie populaire sans précédent. Des horions sont même échangés dans les travées de l'Assemblée !

Mais l'épreuve de Molina n'est pas terminée ! À sa sortie de prison, il retrouve une maison vide. Sa fille aînée, Mireille, s'est suicidée à vingt-deux ans, n'ayant jamais réussi à supporter ni la mort de ses sœurs, ni l'emprisonnement de son père !

Un tel parcours peut expliquer n'importe quel désir de vengeance !

Maintenant Molina, libre, vit retiré dans ce village où il a emménagé dans une petite maison, dans l'étroit passage où je finis enfin par le dénicher. Quelques dizaines de mètres carrés de terrain parfaitement entretenus, avec un potager où j'aperçois de dos un homme, vêtu d'une combinaison bleue d'ouvrier, en train de sarcler avec détermination.

Je l'interpelle :

– Monsieur Molina ?

La personne se retourne et me considère longuement, avant de s'approcher à petits pas, essuyant d'un revers de manche la transpiration qui ruisselle sur son visage. Il fait vraiment chaud aujourd'hui. La lenteur de sa démarche me donne tout le temps nécessaire pour le détailler. Petit et trapu, il porte bien ses cinquante ans mais son visage est celui d'un vieillard ! Le cheveu blanc sale, des mèches collées par la sueur, une bouche pincée au bas d'un visage sec où les rides s'entrecroisent en de profonds sillons. Ses yeux sombres et plissés paraissent plus que centenaires. Cet homme a vu la souffrance et l'abjection, et son regard vous les renvoie sans détours.

Sa voix est claire, précise, mais sans aucune de ces inflexions qui traduisent l'existence d'une vie intérieure, une voix lasse et monotone, sans être brouillée pour autant.

– Vous êtes ?

– David Meyer.

Il hoche la tête et me fait signe de le suivre jusqu'à une petite table de métal à la peinture blanche écaillée, placée à gauche de la porte d'entrée.

– Asseyez-vous, me dit-il. Je reviens de suite.

Ne me laissant pas le temps de répondre, il s'introduit dans la maison tandis que je prends place sur une chaise pliante aux mêmes couleurs passées que le reste du mobilier de jardin. Je l'entends se laver les mains, avant qu'il n'apparaisse à nouveau, apportant avec lui une bouteille d'apéritif ainsi qu'une carafe d'eau glacée. Tirant la seconde chaise, il s'assied lourdement en face de moi.

– Ricard ?

– Un fond seulement avec beaucoup d'eau, s'il vous plaît.

Nous restons une minute silencieux, savourant la fraîcheur du breuvage. J'avoue ne pas savoir comment aborder la discussion, alors je préfère me taire pour l'instant.

– Oui ? finit-il par demander.

– Je souhaitais vous rencontrer...

La réplique fuse sans attendre :

– C'est fait ! Et pourquoi ça ? Je ne fais plus vraiment la une de l'actualité.

Si le débit est rapide, le ton reste morne et vide.

– J'ai été amené récemment à entendre parler de vous.

– Ah bon !

Et c'est tout ! Ça ne va pas être simple. Un oiseau se met à chanter non loin de nous. D'une grande musicalité, son trille léger rompt le lourd silence.

– Isabelle Dervier, lui dis-je.

Il me regarde sans mot dire, les yeux mi-clos.

– Vous devez la connaître, n'est-ce pas ?

Il prend son temps. La réponse m'arrive alors que je ne l'attendais plus :

– Je me suis usé les yeux à lire tout ce

que je pouvais trouver sur Deschamps...
Oui, je connais ce nom.

Il n'a même pas changé d'intonation en
prononçant le nom de l'assassin de ses filles ! J'avale une nouvelle gorgée pour me
donner une contenance, sachant perti-
nemment qu'il me faudra lui arracher
chaque réponse.

– Vous savez qu'elle est morte ?

– J'ai lu vos articles.

Je dois me dévoiler. Pas d'autres solutions pour l'instant.

– Et Victor Béruse ?

Ai-je discerné une petite lueur d'intérêt ?

– Oui, me répond-il. Je connais aussi.

– Il est possible qu'il soit la seconde victime d'Highlander.

Un petit ricanement sans joie.

– Ce qui veut peut-être dire que votre
tueur aurait bon goût.

– Les deux ont été impliqués dans la
libération de Deschamps.

– Je ne le sais que trop bien.

– Et ça ne vous gêne pas que la police
puisse se poser des questions à votre
sujet ? Qu'elle puisse être amenée à vous
considérer comme le responsable possible
de ces meurtres ?

À ces mots, il s'agite pour la première fois :

– Que savez-vous de la responsabilité, monsieur Meyer ?

– Je ne comprends pas.

Son esprit semble s'engager dans plusieurs réflexions

– La responsabilité... C'est un mot qu'on entend de plus en plus pour quelque chose qu'on exerce de moins en moins... Deschamps était-il responsable ou non ? On l'a déclaré irresponsable lors de son premier procès, et il a tué à nouveau. Mais qui a pris cette décision ? N'est-ce pas plutôt d'autres personnes qui passent leur vie à avancer des prétextes d'irresponsabilité pour se défausser de leur propre responsabilité ?

– J'avoue que je ne vous suis pas très bien...

Il m'explique calmement :

– Plus personne ne veut assumer les conséquences d'une faute. Pas même un juge. Alors on se cache. Derrière des avocats, des experts, derrière le « vécu » du criminel, derrière une hiérarchie même, avec comme seul but de pouvoir dire en cas de problème : « Ce n'est pas ma faute, mais celle du système. »

– Et ça justifierait, d'après vous, que Highlander puisse en vouloir aux éléments de cette chaîne d'irresponsabilités et envisager de les tuer tous ?

Il émet un petit rire sardonique :

– Qui sait ce qui se passe dans la tête d'un homme qui a déjà vécu l'enfer sur terre, monsieur Meyer ? Mais non, je ne crois pas que ça se justifierait... Tout bonnement parce qu'on n'en finirait pas. Le monde entier repose sur ces principes... N'est-ce pas Dieu qui disait dans la Bible : « Trouvez-moi un homme juste et je sauverai le monde ? »

– Oui. Il me semble que c'est quelque chose comme ça.

– Eh bien ! maintenant, il faudrait changer la phrase en remplaçant « juste » par « responsable », ricane-t-il, ajoutant sans que je puisse commenter :

– Moi même, j'ai été irresponsable, monsieur Meyer. L'aveuglement de la douleur m'a poussé à négliger l'impact de certaines de mes décisions. Et c'est Mireille qui en est morte. J'ai négligé ma fille aînée et elle s'est donné la mort... Alors suis-je responsable ou irresponsable ?

L'entretien s'engage dans une direction

totalement inattendue. Le dialogue
devient monologue. Cherche-t-il à noyer
le poisson ou est-ce réellement sa façon
de s'exprimer ?

– Et ça justifierait que tous les coupables par procuration disparaissent ?

– Si je le croyais, je serais mort aussi,
monsieur Meyer. Je l'ai voulu, je l'ai
appelé de toutes mes forces, de toute mon
âme, à la mort de Mireille. J'ai cru devenir
fou. Je le suis peut-être devenu, d'ailleurs.
Et savez-vous ce qui m'a sauvé ?

J'hésite. La force du discours est
impressionnante, chaque mot m'assomme violemment. Il est maintenant
complètement prisonnier de sa propre
diatribe, et l'écouter m'en apprendra certainement plus que l'interrompre avec
mes propres questions.

– Non, je ne sais pas ce qui vous a
sauvé.

– Une chaîne humaine, monsieur
Meyer... Être en prison m'a sauvé la vie.
Pendant des semaines, mes codétenus, les
surveillants eux-mêmes se sont relayés
pour me garder jour et nuit. Je pleurais,
je hurlais, je les insultais, les haïssais mais
ils ont tenu bon et m'ont un jour permis
de comprendre que mes souffrances pou-

vaient me conduire à être investi d'une mission.

– C'est-à-dire ?

– C'est-à-dire qu'une fraction de l'humanité mérite d'être assistée, prévenue, informée. C'est-à-dire aussi que d'autres personnes souffrent comme moi et que je peux sans doute les aider... Alors, c'est ce que je tente de faire maintenant.

– Il serait intéressant de préciser votre définition de la fraction.

– Je vous laisse libre d'imaginer.

– Je pense avoir une idée. Et ceux qui soutiendraient l'autre côté de la fraction, méritent-ils de disparaître ?

Il sourit doucement.

– Je vous laisse seul juge, monsieur Meyer.

– Et comment aidez-vous ces gens que vous dites assister ?

– Je participe à des associations. Je soutiens ceux qui ont besoin de l'être, ceux qui sont confrontés aux mêmes souffrances que moi. Et leur redonner espoir me maintient et me permet de me réveiller tous les matins sans hurler de douleur et de rage.

– La religion ?

– Non, monsieur Meyer, la religion

n'existe plus. Ceux qui le désirent peuvent en user. Je ne la dénigre pas et reste tolérant en la matière, mais je l'ai quittée. À moins qu'elle ne m'ait quitté, je ne sais plus... Il m'apparaît maintenant trop facile de rejeter nos fautes et nos erreurs sur un alibi surnaturel, nous permettant de nous dégager de nos propres responsabilités.

Cet homme est étonnant, il a dû beaucoup réfléchir !

– Je ne peux m'empêcher d'être surpris, monsieur Molina.

– De... ?

– De la facilité de votre expression, des concepts et idées que vous maniez avec tellement d'aisance, du langage même que vous employez. Il est exceptionnel que j'en vienne à aborder ce type de sujet, dans le cadre d'un entretien.

Il sourit, ironique :

– Surtout quand votre interlocuteur est un homme vêtu d'une combinaison crasseuse, aux ongles pleins de terre, et résidant au fin fond du pays, dans une maison grisâtre.

Je reconnais :

– Vous avez raison !

– Au moins vous êtes honnête, monsieur Meyer.

– Je m'y essaie.

Il redevient brutalement sérieux.

– Pour en revenir à mon discours, je
crois que le fait même de connaître une
douleur comme celle que j'ai pu ressentir
ne peut que vous rendre philosophe... Ou
alors, ça vous tue... La réflexion devient
une façon de s'en sortir. Sinon d'accepter,
du moins de supporter ce qui est, à la
base, insupportable... Si vous interviewez
une victime et qu'elle n'ait pu accéder à
cette étape, c'est que le drame est trop
frais, qu'elle n'a pas encore assez souffert.
À un certain niveau de douleur, on n'a
plus le choix. C'est l'abstraction... ou la
mort...

– Je vois.

– Quant à mes facilités d'expression,
j'ai l'impression de ne pas avoir dormi
pendant des années. Et quand on ne dort
pas, les nuits sont longues si on ne les
meuble pas avec une occupation. Pour
moi, ça a été la lecture... entre autres.

Une femme vient d'apparaître à la barrière et l'interpelle. Il se lève pour la
rejoindre, me laissant seul à méditer ce

que je viens d'entendre. Un homme surprenant, charismatique même, à vif ce qui
est bien compréhensible, mais bien moins
cynique et caustique que j'aurais pu le
craindre. Je comprends bien qu'il use de
l'abstraction comme d'un refuge, mais je
ne peux me défaire de l'idée qu'en ma présence, il ne la met en avant que pour dissimuler un autre sentiment latent, de
violence et de haine. Le discours qu'il
tient n'est-il qu'un alibi de façade destiné
à noyer le poisson ou est-ce vraiment son
credo ? Je penche pour la première solution, tout bonnement parce qu'il a esquivé
chacune de mes tentatives pour l'amener
à définir plus précisément ses sentiments.
À moins que ce ne soit pour éviter d'évoquer la douleur causée par la mort de ses
filles. Comment pourrait-il parler librement de délinquants sexuels sans imaginer ce qui s'est passé les concernant ? Je
n'ai pas le temps de pousser plus loin ma
réflexion car il est déjà de retour et dépose
sur la table deux bottes de radis.

— Voilà ce que je vous disais au sujet de
la chaîne humaine, m'expose-t-il en s'as-
seyant. Ces gens qui passent régulièrement pour me dire bonjour. Pour
s'assurer que je ne disjoncte pas. Avec, à

chaque fois, un prétexte touchant... Prenez ces radis, par exemple ! J'en fais pousser moi-même et n'en ai donc pas besoin.
Mais ils ne sont qu'un témoignage de sou-
tien. Alors, à chaque fois qu'elle m'en
apporte, je les accepte avec le sourire.

– Et vous connaissiez tous ces gens-là,
avant... ?

– Non, nous habitions beaucoup plus
haut. Plus près de Beauvais.

– Puis-je vous poser une question brutale, monsieur Molina.

– Oui.

– Avez-vous fait tuer Deschamps ?

Il sourit et admet :

– Oui... Et ça n'a pas été très difficile à
obtenir. Cette engeance n'est pas particulièrement appréciée en prison.

Là, sous des termes choisis et prudents,
j'ai enfin senti affleurer un courant de haine ! « Cet homme ne pourra jamais pardonner », me dis-je. Et qui peut vraiment
lui jeter la pierre ?

Une précision, néanmoins, me paraît
importante :

– Mais la police a retrouvé les espèces
que vous aviez retirées de votre compte ?

Il hésite visiblement.

– Après tout, ça ne vous servira à rien...

Si vous l'écrivez, je le démentirai, et j'ai de toute façon déjà été jugé pour ça. Disons qu'un homme en prison n'a pas besoin de beaucoup d'argent, contrairement à certaines personnes de sa famille nécessitant une allocation régulière en espèces.

– Je vois. Et vous pouvez justifier auprès des autorités de cet argent qui s'envole, j'imagine ?

– Dans n'importe quel PMU, vous ramassez votre lot de tickets perdants. Après tout, c'est l'État qui nous pousse à jouer aux courses, n'est-ce pas ? C'est bien lui, l'ultime gagnant.

– Exact... Et avez-vous tué Dervier et Béruse ?

Là, j'y suis allé au culot ! Mais il ne se démonte pas.

– Non.

Je ne sais plus que penser, ni croire. Une longue pause qu'il met à profit à son tour.

– Et vous, monsieur Meyer, pourquoi avez-vous tenu à me rencontrer ?

– J'écris sur Highlander. Et comme les deux affaires apparaissent de plus en plus liées...

– Apparaissent est le mot, monsieur Meyer..., apparaissent..., seulement.

– Je ne sais pas, monsieur Molina. Vraiment pas. Mon rôle n'est pas de juger mais d'expliquer.

– Il existe des façons d'écrire qui sont en elle-mêmes des jugements. Ce n'est pas à vous que je vais expliquer ça.

– C'est vrai.

Il sourit, de façon énigmatique.

– Et si vous deviez me juger, comment le feriez-vous ? me demande-t-il sur un registre presque amusé.

J'essaie de répondre sur le même ton.

– Êtes-vous si peu sûr de vos actions que vous ayez besoin d'un consensus ?

– Pas vraiment, monsieur Meyer. Considérez cela comme de la curiosité.

– Alors Dieu me préserve d'avoir à le faire !

« Après tout, puisqu'il parle de façon codée, je peux coder, moi aussi, n'est-ce pas ? » me dis-je, en me levant.

Il me serre la main au-dessus de la table. Le ton reste rieur mais les yeux sont glacials.

– Puis-je vous poser à mon tour une question directe, monsieur Meyer ?

– Allez-y !

– Si vous aviez été à ma place, auriez-vous fait comme moi ?

– Vous voulez dire Deschamps ou tous les autres ?

Il glousse :

– Vous ne perdez pas le nord... Deschamps seulement, monsieur Meyer... Deschamps seulement.

– J'aurais probablement fait comme vous, lui dis-je en m'éloignant, son rire grinçant finissant par couvrir le trille du rossignol qui s'est remis à chanter.

28

Paris – 30 juin – 20 h 00

– Ainsi, voilà l'antre du démon ! dit-elle, en pénétrant dans l'appartement.

Le tambour ne s'est pas mis à rouler, ni les trompettes à sonner mais c'est tout comme. La première fois que ma dulcinée pose les pieds dans mon quatre-pièces parqueté, poutres absentes, plomberie vétuste et vue sur jardin !

– Mon chez-moi !

– C'est un peu... étrange, finit-elle par s'étonner après une longue pause, cherchant ses mots, probablement soufflée par le goût exquis dont témoigne mon mobilier ainsi que la décoration soignée de la pièce.

– Je suis heureux que ça te plaise.

– « Plaire » n'est peut-être pas le mot juste, précise-t-elle. Disons qu'il m'est arrivé de voir pire.

– Et il t'est souvent arrivé de voir pire ?

– Rarement, avoue-t-elle sans aucune hésitation.

Bien, j'ai compris ! Il va falloir que je lui donne à boire pour qu'elle oublie le cadre, technique traditionnelle de la maison Meyer. Elle évolue maintenant dans la pièce, s'arrêtant pour renifler chaque étagère, tout en jetant un coup d'œil rapide aux photos qui couvrent les quelques espaces libres sur les murs.

– Celle-là, je devrais l'amener au Quai !

Je m'approche doucement, plus pour être près d'elle que pour vérifier de quoi il s'agit. En fait, je les connais toutes par cœur, et celle-ci représente Simeoni, avec quinze piges de moins, faisant le beau sur une plage d'Ajaccio.

– Je te fais une copie, c'est promis.

Elle rit et j'en profite pour l'embrasser, histoire de garder la forme et lui démontrer que la bête rôde toujours. À mon grand désespoir, ça ne dérape pas car elle finit par s'écarter, probablement pour reprendre son souffle. Ce n'est pas grave, ce n'est que partie remise, me dis-je avec fatalisme. Je l'interroge :

– Tu prendrais du champagne ?

Faut dire que j'ai fait quelques courses aujourd'hui pour préparer la venue d'Amélie. Pour être tout à fait honnête, j'ai même nettoyé un minimum, ce qui n'a pas l'air d'avoir changé grand-chose dans son appréciation de mon décor. À cet égard, il est intéressant de noter à quel point l'entrée d'une femme dans la vie d'un homme, peut déclencher chez lui des réflexes et comportements bizarres. Un test hautement scientifique, réalisé auprès de mes amis masculins, confirme d'ailleurs le fait que, dans quatre-vingt-dix pour cent des cas, un homme ne s'empa- rera d'un plumeau que s'il doit recevoir la visite d'une femme de qualité. Le reste du temps, il attendra, stoïque, que la femme de ménage vienne procéder à ses trois ou quatre heures d'entretien hebdomadaire.

– Et toi ? me répond-elle, enfin.

– Je suis plutôt vin rouge.

– Alors moi aussi, s'il te plaît.

Une femme selon mon cœur ! Pas éton- nant qu'elle m'attire autant.

– Tu permets que je poursuive la visite ?

– Tu es ici chez toi !

Elle répond avec une moue dubitative. Je soupçonne alors une allusion du genre : « Avec une déco pareille, peu de chance ! » Je l'ignore et entreprends de servir le vin. L'organisation Meyer en pleine action. Je l'entends ouvrir les portes ici et là, devine qu'elle inspecte la salle de bain pendant quelques minutes, puis la vois bientôt revenir, ayant ôté sa veste. Sans émettre de commentaires, elle s'assied près de moi dans le canapé et prend son verre. Nous trinquons, les yeux dans les yeux.

– Ça t'a plu ?

– Quoi ?

– La visite.

Elle fait la moue :

– La disposition des pièces est intéressante, me répond-elle, sans trop se mouiller... Pour la déco...

– C'est un autre problème, je sais. Des copains me l'ont déjà signalé.

– En parlant de copains, sourit-elle, j'ai été contente de voir que tu avais rangé tous les soutiens-gorge et qu'aucune petite culotte ne traînait.

– Je t'ai déjà dit qu'on ne prêtait qu'aux riches. Je ne m'encombre pas de relations charnelles, vivant dans la pureté et l'ascétisme.

– Ça, j'en suis convaincue. Et ce qu'on a fait, il y a deux jours, c'était quoi ? Une réussite ?

– L'amour qui nous attache aux beautés éternelles n'étouffe pas en nous l'amour des temporelles.

– C'est quoi ça encore ? Toujours du Molière ?

– Euh... Ça c'est bien passé, ces deux derniers jours ?

– Plutôt, me répond-elle, sans s'impliquer.

– D'ailleurs tu me parles de petites culottes mais ce n'est pas moi qui viens de passer deux jours à l'hôtel avec un éminent représentant de l'autre sexe.

Elle rectifie :

– Une nuit seulement ! Et dans des chambres séparées en plus ! Tu ne serais pas un peu jaloux ?

– Un tout petit peu seulement.

Elle rit et se penche vers moi pour un rapide bisou. Je tente de l'attraper mais elle s'est déjà enfoncée dans le canapé, en profitant d'ailleurs pour quitter ses chaussures et les pousser sur le côté.

– Je fais comme chez moi, constate-t-elle.

– Tu peux. Donc ça s'est bien passé, à Sarreguemines ? Avec le bel Olivier Moureau.

Elle soupire :

– Oui. Nous avons travaillé sur la piste Louis Dervier, mais sans aucun résultat. Toutes les personnes que nous avons pu rencontrer témoignent du fait que le couple était très uni.

– Ce qui n'empêchait pas Isabelle de fricoter avec Béruse. Si c'est bien lui.

– C'est lui ! Le labo nous l'a confirmé, en fin d'après-midi. Quant aux relations entre Dervier et lui... Les gens sont parfois curieux, chaque couple gérant son inti-mité à sa façon.

– Justement, lui dis-je en souriant, j'ai des principes de gestion très sains.

– Tss ! tss ! Il faut parfois savoir attendre un peu. Le plaisir est parfois décevant, le désir jamais.

Je concède :

– Tellement vrai ! Tu es un véritable puits de sagesse.

– En parlant de puits..., me dit-elle, en me tendant son verre vide.

Comme le mien d'ailleurs, ce que je n'avais même pas remarqué. C'est vous dire à quel point je suis captivé.

Je refais le niveau de nos verres et la questionne :

– Moralité, rien sur Dervier. Et tu y crois, toi, à l'hypothèse du mari ?

– Je ne sais pas, dit-elle. En général, quand on tue la femme et l'amant, on fait ça dans la foulée. Pas à plusieurs semaines d'intervalle.

– Sauf si on tue l'amant et que la femme part à sa recherche, ce qui finit par vous revenir à la figure.

– Vrai, concède-t-elle. De toute façon, c'est quasiment impossible à prouver. Nous ne disposons même pas d'une date certaine pour les meurtres. Difficile de contrôler un emploi du temps avec ça, surtout quand le mari est peu causant et plutôt casanier.

– Et Moureau, il se débrouille bien ?

– C'est un bon, acquiesce-t-elle. Simeoni a bien fait de s'arranger pour qu'il nous rejoigne. Ça fera un bon élément à la Crim'... Et toi alors, qu'est-ce que tu as fait de beau ?

– J'étais à Neuilly-en-Thelle, dans l'Oise, village d'avenir s'il en est, avec son église et son bureau de tabac, pour y rencontrer Xavier Molina.

Elle sursaute :

– Ah bon ! Sais-tu que la Crim' n'a pas le droit de l'approcher pour le moment ?

– Non, je ne savais pas.

– Son dossier est trop politique, surtout

au regard de ce qui se passe maintenant. Du coup, nous devons avancer avec des pincettes. J'ai même été déchargée du dossier qui a été repris directement par François.

– J'en suis désolé.

– Pas moi, glousse-t-elle. Je sais que la décision a été prise afin de me protéger, le cas échéant... Il y a pas mal de coups à prendre sur cette histoire.

– Oui, encore une preuve que François t'estime beaucoup. À la réflexion, ce n'est pas étonnant qu'il procède de la sorte.

Elle approuve :

– Oui. Donc, tu as rencontré Molina. Qu'en as-tu pensé ?

J'hésite :

– Difficile à dire. C'est un homme à vif, mais très intelligent. Et qui a bien fait exécuter l'assassin de ses filles. D'un autre côté...

– Oui ?

– Je ne le vois pas vraiment aller chercher Béruse, puis Dervier, les droguer afin de les amener dans les catacombes pour les tuer, puis les décapiter, leur couper les mains et enfin s'en aller. Ce n'est pas trop son style. Si cela était le cas, ils les aurais plutôt tués chez eux ou quelque part ailleurs, puis laissés sur place, en assumant le tout avec fierté... Le montage des catacombes me paraît trop complexe.

– Je vois ce que tu veux dire. Une autre idée ?

– Non, pas pour l'instant. Je pense que la réponse n'est pas loin, mais il nous manque encore quelques éléments. J'ai l'intention de continuer à creuser. Mais peut-être pas ce soir.

Elle acquiesce et recule au fond du sofa, appuyant sa tête sur le dossier.

– Tu as raison. Il va d'ailleurs falloir qu'on établisse une règle si nous en arrivons à nous voir plus souvent... Histoire de ne pas passer nos soirées à parler boulot.

– Tu en as envie ?

– De quoi ?

– Qu'on passe plus de temps ensemble ?

– Plutôt oui. Sinon je n'aurais pas cédé à tes avances.

– Je n'ai pas tout à fait l'impression que ça se soit passé ainsi, mais je concède. Il faut toujours se ranger aux désirs d'une jolie femme.

– Et tu connais bien la question !

– Serais-tu, toi aussi, un peu jalouse, par hasard ?

– C'est moi qui tiens le revolver. Je reste seulement prudente. Surtout quand je vois les problèmes que cela pose.

– Quels problèmes ?

– Toutes ces femmes chagrinées du fait que David Meyer est maintenant en bonnes mains.

J'éclate de rire.

– Si on faisait en sorte de leur donner une raison de plus de pleurer ? me demande-t-elle.

Je suis d'accord, je me lève en l'attirant vers moi.

– J'approuve. En plus, je n'ai jamais fait l'amour avec un commissaire.

– Ce n'est pas aujourd'hui, murmure-t-elle.

– Quoi ?

– Commissaire... ce sera demain.

David Meyer ne se laisse jamais démonter !

– Alors, on le refera demain, lui-dis je en l'amenant dans la chambre...

29

Paris – 1er juillet – 12 h 30

Certaines personnes mal intentionnées pourraient suggérer à la foule béate et passionnée de mes admirateurs que, passant mon temps au restaurant ou au bistrot, je sois incapable d'exercer mon métier avec le sérieux qui lui est dû. Ils tenteront d'expliquer qu'un penchant immodéré et inconsidéré pour le jus de treille et la bonne chère n'est pas compatible avec la lucidité nécessaire pour captiver mes lecteurs par la qualité de mes enquêtes. En somme ils opposeront la buvette aux belles-lettres !

Ne les écoutons surtout pas ! En effet, partant de ce postulat, ces malfaisants témoigneront surtout d'une méconnaissance totale et fondamentale de la pratique quotidienne du journalisme de grande école.

Le rôle premier du scribouillard, même

mal payé, est d'écrire et de décrire, il ne peut donc pas – surtout pour quelqu'un comme moi, qui exerce en indépendant – réduire son univers aux quatre murs de son appartement, sous peine de tourner rapidement en vase clos. Il se doit donc de sortir et de rencontrer du monde. Et quel meilleur endroit, pour ce faire, que ces lieux où la symbolique du ventre plein rime avec celle du bien-être, propice à délier les langues.

À cela s'ajoute un autre facteur important, la qualité des expressions qu'on peut relever dans le cadre enchanteur d'un bar à vin ou d'un bistrot qui sert de la grande cuisine du terroir. À l'image des auteurs qui fréquentaient assidûment ces lieux de consommation, je considère que la langue se construit plus dans les cafés que dans les académies. Il m'appartient donc, en tant que journaliste et écrivain populaire, d'y vivre pour la faire vivre...

Tout le monde a bien compris ? C'est de la conscience professionnelle !

« J'aime boire un coup, m'en mettre plein la panse et causer avec les potes, tudieu ! »

En bref, vous comprenez mieux pourquoi je me trouve, en ce moment, attablé devant une escalope de veau « normande » à en croire le menu, partagée avec mon ami de toujours, François Simeoni qui, d'après mes souvenirs, est « corse », arrosée d'une bouteille de vin qui, autant que j'ai pu l'apprécier, est « bordelais ». Tout va pour le mieux, François m'a contacté et devrait donc payer l'addition !

– Tu ne souhaitais pas uniquement me voir pour que nous échangions des souvenirs de jeunesse, j'imagine ?

Il temporise. Il hésite beaucoup, beaucoup plus que d'habitude. Quand nous sommes ensemble, il se révèle généralement plutôt brillant causeur.

– Dis donc, si la fille Ceccaldi te voyait maintenant, tu n'aurais aucune chance. On dirait que tu as perdu ta langue !

Il ne peut s'empêcher de sourire à l'évocation de ce souvenir de jeunesse, Angélina Ceccaldi, jeune fille qui présentait, en dehors d'atouts physiques indéniables enflammant nos imaginations déjà fertiles, la caractéristique secondaire de n'adorer que les beaux parleurs... Et que François séduisit, envers et contre tous, par la qualité de son bagout.

D'ailleurs à cet égard, une petite digression. Le Corse n'est pas muet contrairement à la légende. Il se tait quand il n'a
rien à dire ou qu'il ne connaît pas assez
ses interlocuteurs, mais avec les copains,
plus bavard que lui, c'est difficile. Moralité, quand il ne s'exprime pas, ce n'est pas
du mutisme mais de la discrétion. Il ne
s'impose pas et, comme vous l'avez peut-
être entendu dire, explose facilement
quand on cherche à s'imposer.

Mon vieil ami semble avoir enfin
retrouvé sa langue :
— J'ai appris que tu avais rencontré
Xavier Molina...
Je sais qu'il sait. Amélie l'a contacté de
chez moi, ce matin, pour le lui mentionner. Ça ne demande pas de réponse, alors
je ne réponds pas. Il continue :
— Comme tu le sais, mon téléphone dispose d'un identificateur de numéro
d'appel.
Il n'en dit pas plus. Pas besoin. On se
connaît trop bien. Ma dulcinée, à dessein,
n'a pas utilisé son portable mais ma ligne
fixe, et François se demande ce qu'elle
fabriquait chez moi, à sept heures du
matin.

Je ris. D'abord, parce que je suis de bonne humeur, mais surtout parce que je comprends maintenant que l'utilisation du « mauvais » téléphone était délibérée, façon pour Amélie de transmettre le message sans avoir besoin de l'exposer.

– Qu'est-ce qui t'amuse ? m'interroge-t-il.

– Ta tête. On dirait que tu viens d'avaler un verre de vin bouchonné.

Un doute affreux m'assaille. Et si c'était vrai ? M'emparant de mon verre, je m'humecte à nouveau la glotte. Pas de problème, il n'a pas tourné. François ne dit toujours rien. Il attend que je me décide à poursuivre. Il a raison d'espérer :

– La réponse à ta question non formulée est « oui ». Nous sommes ensemble. Et je pense qu'elle a volontairement utilisé mon téléphone pour que tu le saches. Elle te respecte plus que quiconque et ne voulait probablement pas que tu puisses avoir l'impression qu'elle te cachait les choses. Surtout avec ton meilleur ami.

– Je n'aime pas beaucoup ça, grommelle-t-il.

– Pourquoi ? Tu n'as pas confiance en elle ?

Il grogne :

– J'ai autant confiance en elle qu'en toi, c'est tout dire.

– Alors, que crains-tu ? Nous sommes, tous les deux, majeurs et vaccinés, et si ça peut te rassurer, nous avons vraiment hésité et réfléchi avant d'agir.

Là, je le baratine un peu ! Elle a hésité. Pas moi.

– Ce n'est pas pour toi que je m'inquiète, idiot ! me dit-il. C'est pour elle. Un policier et un journaliste, spécialiste des affaires criminelles qui plus est, ce n'est jamais une bonne association pour la réputation d'un flic.

Je m'agace :

– Et toi et moi, tu crois que c'est mieux ? On se voit une ou deux fois par semaine. On est comme des frères.

– Mais on ne couche pas ensemble ! Et malgré ça, il m'est arrivé, à un moment ou l'autre de ma carrière, de faire l'objet de réflexions.

– C'est vrai ?

– Bien sûr !

– Des cons !

– Bien évidemment ! Mais si tu mets plusieurs chacals en meute, ils peuvent avoir la peau d'un lion. Ne l'oublie pas !

Je prends un ton solennel :

– Mon frère, je te promets de tout faire pour que rien ne puisse donner lieu à critiques ou mauvaise interprétation.

Il soupire :

– Enfin ! C'est votre vie. Qui suis-je pour m'en mêler ?

Je me penche et lui tapote affectueusement la joue. La prochaine fois que vous voyez un commissaire principal, essayez ! Vous verrez, ils apprécient et ça fait des miracles pour leur moral car ils se sentent enfin aimés.

– Tu t'en mêles parce que tu nous adores tous les deux, fraternellement, bien sûr, pour Amélie, sinon je serai obligé d'en faire part à Valérie.

Il se marre. Ça y est, c'est fait ! Leçon numéro un du cours : *Comment dérider un flic stressé ?*

– Ok, on bascule, dit-il. Tous mes vœux à tous les deux ! Mais au fait, Molina ?

Je vous rappelle que c'est un Corse bavard ! Là, il joue dans le registre de la tradition séculaire. Uniquement pour ne pas faire mentir leur réputation.

Conscient de l'effort que lui a coûté cette fabuleuse envolée, je lui décris l'entretien par le menu et il écoute religieusement avant de me poser les mêmes questions qu'Amélie. À preuve que les policiers ont souvent des réflexes identiques de raisonnement :

– Tu en penses quoi ?

– Je n'arrête pas d'y réfléchir mais ces dissimulations et mutilations de cadavres ne ressemblent pas à du Molina. C'est là où je bloque.

– Tu crois à une autre possibilité, du côté du mari ? Ou alors à une vengeance sur Béruse à laquelle Isabelle Dervier aurait été mêlée par hasard ?

– Peut-être. Bien que ça n'ait pas vraiment l'air de correspondre au profil de Louis Dervier, non plus.

– Si je t'entends bien, ça ne correspond pas à grand-chose ! s'exclame-t-il.

– Ce n'est pas ça. Il doit y avoir une logique quelque part, mais encore nous faut-il la découvrir.

– Certain que ce n'est pas un cas très simple.

– Si ça l'était, on ne réserverait pas le dossier à un professionnel de ton calibre.

Il rit, avant que nous convenions, d'un commun accord, de parler d'autre chose. Il est clair en effet, que vingt minutes de plus de ce débat animé ne nous mèneront nulle part, sauf au plaisir d'être ensemble. Alors autant qu'on vive l'instant en se marrant un peu. Je sens qu'il en a besoin.

30

Paris – 1er juillet – 17 h 00

L'affaire Highlander me sort par le nez et j'en ai marre de m'interroger sur des cadavres découpés. Je viens de passer la plus grande partie de l'après-midi sur un tout autre sujet, sinon plus rafraîchissant, en tout cas bien moins morbide. Celui des mages et autres marabouts, souvent assis devant leur boule de cristal aux limites de l'escroquerie, mais dont la grandilo-quence et les certitudes restent générale-ment amusantes, tant qu'on continue à les prendre au second degré. Certes, ils peu-vent, eux aussi, générer leur lot de souf-frances en débitant un tissu de sornettes à des âmes trop crédules, mais tant qu'ils ne font pas plus de mal, ils doivent bien être utiles puisqu'ils répondent à une demande. Ils passent, à mon sens, pour les guignols de la psychothérapie domes-tique !

En effet, combien de personnes croient vraiment dur comme fer ce que leur prédisent astrologues ou autres médiums ? Ce que le client attend avant tout, c'est qu'on positive son destin, d'autant plus qu'il a le sentiment de rater sa vie. Et pour ça, il est prêt à payer le mage ou marabout qui se contentera de lui débiter ce qu'il veut entendre. Même David Meyer tend l'oreille au moment de l'horoscope, dans le souci de ne pas rater l'énoncé de son signe !

Toujours est-il que cette fameuse semaine d'avis de recherches, par journal interposé, avec son cortège de réponses provenant de voyants professionnels, m'a incité à me pencher sur le sujet que j'ai essayé de traiter de façon légère.

Ai-je pour autant cessé de penser à Highlander ? Pas vraiment, si j'en juge par la relecture de mon nouveau papier, toute la problématique du cas remonte en surface, redevient d'actualité, avec une acuité nouvelle.

Il me faut commencer à répondre à ces deux questions : pourquoi les mutilations ? Et pourquoi les catacombes ?

Reprenons alors les hypothèses et envisa-
geons les conclusions.

Le choix des carrières d'abord : un
endroit isolé, peu fréquenté, où les
cadavres sont susceptibles de demeurer
longtemps avant d'être repérés. Le tueur
les connaît-il bien ? Oui, c'est évident. Le
choix de la salle en témoigne. Non seulement, elle se situe dans les galeries,
endroit déjà discret par essence, mais en
plus, il s'agit là de l'un des rares lieux
fermés à clef. Clef certes facile à repro-
duire, mais démarche supplémentaire qui
découragerait néanmoins tout amateur
non équipé et non motivé. On peut facilement enfreindre un arrêté préfectoral
interdisant de se promener en sous-sol,
mais il est bien plus risqué de fracturer
une porte. Cette analyse me fait d'ailleurs
penser qu'il me faudra aussi rendre visite
au surnommé Biscotte, né Eudebert, celui
qui est à l'origine de la découverte des
corps.

Question suivante maintenant : qui est
susceptible de connaître l'existence de
cette salle ? Des « cataphiles » d'abord,
d'où retour à Biscotte, mais aussi la quasi
totalité des employés de l'hôpital Broussais, y compris les cortèges d'anciens

internes qui sont maintenant disséminés un peu partout. On peut ajouter à cette liste, des malades ou des copains à qui ils ont pu raconter l'histoire, des lecteurs qui ont lu les articles de journaux relatifs à la mort de l'infirmière, plus tous ceux qui sont en charge des galeries. Un vrai Bottin, en somme ! Rien à espérer directement, de ce côté-là. Ai-je oublié quelque chose ? Ou quelqu'un ?

Donc je continue. Le tueur cache les cadavres. Mais pourquoi ? Pour qu'on ne les trouve pas. Ce raisonnement est peut-être logique mais un peu court.

Je formule autrement la question : pourquoi ne veut-il pas qu'on les trouve ?

Première hypothèse : parce qu'il y a un lien entre eux. Ça, c'est l'optique Molina, Louis Dervier ou, éventuellement, un ennemi de Béruse qui aurait été obligé de liquider la femme en plus pour s'assurer de son silence.

Deuxième hypothèse : le lieu de dépôt d'un tueur en série, collectionneur à ses heures, qui aurait, par la même occasion, prélevé quelques souvenirs. Certains de ces spécimens ont, dans le passé, bel et bien conservé des mains ou des têtes pour les ramener chez eux. C'est possible, en théorie au moins, et ce serait compatible avec le décalage de temps. D'un autre côté, quelle est la probabilité pour qu'un assassin tue au hasard, à large intervalle de temps, deux personnes intimement liées ? Proche du zéro absolu, ce qui me fait d'office réfuter cette possibilité. Le tueur les connaissait donc et ne les a pas exécutés par hasard.

Pourquoi les mutilations, maintenant ? Après avoir écarté l'hypothèse du tueur en série et donc d'un mode opératoire spécifique, celles-ci permettent de retarder le moment de l'identification en cas de découverte : pas de visage, pas de dentition, pas d'empreintes digitales...

Mais personne ne peut croire qu'ils ne finiront pas par être identifiés, un jour ? Est-ce parce que la décomposition serait tellement avancée qu'il serait difficile de préciser une date exacte de la mort, facilitant d'autant la construction d'un alibi ? Ou est-ce parce que le tueur attendrait que les cadavres soient réduits à l'état de squelette pour que les ossements puissent alors rejoindre les différents ossuaires regroupés dans les catacombes ?

Je penche pour la seconde hypothèse à cause de la salle fermée et de l'utilisation

de la chaux vive. Si j'en juge d'après la discussion que j'ai eue l'autre jour avec Moureau, au Quai des Orfèvres, à l'occasion
du pot en l'honneur du futur commissaire
Boursin, les ossuaires proprement dits
sont souvent visités par des « cataphiles »
en mal de sensations fortes et de souvenirs. Ce qui implique que le tueur n'aura
pas pu y déposer les corps en l'état, au
risque d'une découverte rapide. Il devait
donc attendre que les cadavres soient
totalement dénaturés, ignorant que la
chaux ralentirait la décomposition au lieu
de l'accélérer. Honnêtement, je ne
connaissais pas non plus l'effet retardant
de cette réaction chimique...

– Je n'avance pas !

Séance de gymnastique de votre idole
à tous, David Meyer qui, pour se calmer,
arpente avec détermination les vingt-cinq
mètres carrés de son salon, pendant cinq
bonnes minutes. C'est bien la preuve que
je tourne en rond !

Je m'en retourne finalement vers la
table où repose le bloc sur lequel j'ai grif-
fonné mes notes, m'en empare, me pose,
les deux jambes en travers de l'accoudoir,
dans mon fauteuil de méditation. Un

vieux truc affreusement laid, complètement ravagé, et sur lequel j'ai posé un
plaid vert pomme du plus bel effet. Je n'ai
pas le sentiment qu'Amélie l'ait beaucoup
apprécié, mais il se passera du temps
avant qu'elle ne réussisse à m'en séparer.

À ce propos, permettez-moi une digression : n'est-il pas étonnant de constater
qu'une femme, tentée de se lier d'un peu
plus que d'amitié avec un homme, n'aura
de cesse que de lui faire jeter tout ce qui
peut rappeler sa vie de célibataire ?

Par exemple, cette fabuleuse chemise
orange vif, ornée de magnifiques hibiscus
mauves, à laquelle il tient parce qu'il l'a
reçue pour ses quatorze ans ! D'accord, il
en a maintenant quarante et elle ne lui va
plus vraiment ; elle ne sert qu'à décorer sa
penderie. Ça lui réchauffe le cœur de la
compter au milieu des autres liquettes,
par exemple à côté de celle au col élimé
qu'il a achetée à peine quinze ans plus tôt.
L'homme doit être bien sensible pour s'attacher ainsi !

Puis, un jour, une femme arrive, se blot-
tit contre son torse musclé et lui suggère
d'une voix cajoleuse : « On pourrait faire
un peu de tri dans tout ça ? » Dans ce

contexte et croyant à une proposition « in-
nocente », il va bien évidemment sous-
crire avec enthousiasme... Et c'est là
l'erreur fatale où le mâle va commencer à
mourir de l'intérieur ! Car elle va, tendre-
ment mais sûrement, jeter les vingt-sept
chemises qu'il adorait pour ne conserver
que les trois qu'il ne mettait jamais.
Décontenancé, il tentera de stopper
l'autodafé en bredouillant : « Celle-là on
pourrait peut-être la garder ? » Mais elle
trouvera toujours une bonne raison pour
l'envoyer rejoindre le tas voué à la destruction. À chaque chemise perdue, il
perd un peu de son âme.

Enfin, elle s'approchera de son homme
soudain atteint de dépression pour lui
susurrer perfidement : « Il va falloir qu'on
aille en racheter quelques-unes, mon
chéri... mais je les choisirai pour toi ! »

C'est toujours là que les gars se disent :
« Si j'avais su... », regrets éternels habillés
de liquettes sans âme, larmes de désespoir
sur la chemise orange vif à fleurs
mauves...

La moralité de cette histoire : la femme
s'ingénie à se débarrasser des affaires que
son homme aimait avant de la connaître,
sans qu'il puisse lui-même lui faire lâcher

ses peluches, pour s'occuper du gros nou-
nours qu'il est devenu.

Les couples précoces ne s'exposent pas
à ce risque. On ne possède encore rien et
on achètera tout influencé par sa femme,
évitant ainsi bien des conflits.

Cette digression vestimentaire vous a
paru longue mais elle m'a remis d'aplomb
en me permettant de penser à autre chose
pendant quelques instants. Je peux donc
me pencher à nouveau sur le cas Highlander.

En tant que journaliste spécialisé, je
suis informé par mon réseau de relations
ainsi que par les journaux auxquels je col-
labore, à commencer par celui de Michel.
Toute information à caractère criminel
m'arrive, d'une façon ou d'une autre. Or
aucune des données reçues ces derniers
mois ne peut être reliée, même indirecte-
ment, à Victor Béruse, Isabelle Dervier ou
à Deschamps. J'en suis certain, c'est la
première chose que j'ai vérifiée.

Enquêter revenant, en premier lieu, à
écarter des hypothèses, c'est-à-dire, dans
le jargon policier, à fermer des portes, je
tiens maintenant à m'assurer de la bonne
santé de tous ceux qui pourraient faire

partie d'une série Deschamps. En les contactant, je vais m'assurer qu'ils sont encore vivants, confortant l'hypothèse d'un meurtre passionnel ou tout bonnement crapuleux et non celle d'une vengeance. Ce sera la première étape, la seconde sera de contacter Biscotte, le « cataphile », afin de contrôler que tout est clair aussi de ce côté-là.

Je retourne à mon bureau, pour établir la liste des personnes à rencontrer grâce à une dernière lecture du dossier Deschamps. L'avocat ainsi qu'Isabelle Dervier étant décédés, il ne me reste d'autres pistes que les médecins de l'UMD, le docteur Nahon en tête, voire même les membres de la Commission des hospitalisations psychiatriques, impliqués dans la libération de Deschamps. De ceux-là, je n'ai pas les noms, mais Nahon pourra certainement me les procurer.

La recherche sur Internet n'ayant plus de secrets pour moi, il ne me faut pas plus de dix minutes pour pouvoir parler au patron de l'UMD de Sarreguemines. « Parler » n'est d'ailleurs pas le mot juste, car il se montre plutôt réticent à aborder le sujet avec un journaliste :

– Vous comprendrez, monsieur Meyer,

que ce dossier est couvert par le secret professionnel.

– Je ne vous demande pas de le violer. Je viens de vous expliquer le sens de ma démarche et suis très content que tout se passe bien chez vous. Maintenant, la seule chose dont je souhaite disposer, c'est des coordonnées de la Commission des hospitalisations psychiatriques. Ça n'a rien de secret et cela m'évitera seulement de perdre beaucoup de temps à les rechercher... Je ne comprends absolument pas votre réticence !

En fait, je saisis très bien. Maintenant que l'affaire Deschamps paraît susceptible de ressurgir suite à la mort de Dervier, les médecins de l'UMD se sentent à nouveau attaqués et font bloc, tendant à considérer que chaque renseignement qu'ils donneront pourra être retenu contre eux.

Mon correspondant hésite visiblement, avant de me préciser enfin :

– Que je vous donne les coordonnées des membres de la commission ne servira à rien.

– Pourquoi ?

– Tout bonnement parce qu'ils ont été remplacés après l'affaire Deschamps.

Ceux qui sont maintenant en place n'ont plus rien à voir avec lui.

Zut ! me dis-je, je n'avais pas pensé à ça !

– Alors, s'il vous plaît, pourriez-vous me communiquer le nom de ceux qui ont délibéré du cas Deschamps ?

Une nouvelle pause.

– Une petite seconde, me dit-il enfin.

En réalité, cinq longues minutes d'attente... Soit il est parti chercher le document de l'autre côté de la ville, soit il espère que je vais me décourager. Mais, pour cela, il faudrait que je ne m'appelle pas Meyer. Je fredonne même, de temps en temps, afin de lui montrer que je suis encore là, persuadé qu'il m'a mis sur amplificateur.

– Voici les noms, monsieur Meyer.

Je les note avec application, remercie avec générosité et raccroche avec rapidité. Puis je médite avec professionnalisme.

« Comment vais-je retrouver la trace de ces quatre pelés ? » Ce ne sera pas trop difficile pour trois d'entre eux, puisque deux sont psychiatres et le troisième juge. Par contre le quatrième... membre de l'UNAFAM ?

Je pars sur leur site : Union Nationale

des Amis et Famille de malades mentaux. Je contacterai l'association plus tard. Autant commencer par les trois premiers...

31

Paris – 1ᵉʳ juillet – 18 h 00

Simeoni, totalement absorbé par son dossier, sursauta en entendant sonner, une nouvelle fois, le thème de *L'Arnaque*. La dernière lubie de Valérie qui venait d'apprendre à télécharger des sonneries ! Dès qu'il rentrait maintenant chez lui, il dissimulait son portable à sa femme qui n'avait plus qu'à composer le numéro de son mari pour découvrir la cachette du mobile.

Depuis trois jours, la Crim' toute entière se marrait dès que François arrivait, des paris étaient même engagés sur la tonalité du lendemain, la plus saugrenue : après *Les parapluies de Cherbourg* et *La Chevauchée des Walkyries*, maintenant *L'Arnaque*.

Il avait bien tenté d'expliquer à sa femme qu'un commissaire de police se devait d'imposer le respect, effet totale-

ment impossible à garantir avec un portable qui sonnait sur un air de midinette,
mais il n'avait pas été très convaincant. Il
risquait de devenir trop sérieux et il fallait
qu'il se mette à la page, lui avait-elle
rétorqué, concédant quand même qu'elle
éviterait de le soumettre à des situations
trop délicates comme celle de devoir assumer *Le roi des cons* de Brassens ou *Le zizi*
de Pierre Perret. Encore heureux ! songea-t-il, comprenant bien que c'était là sa
façon de lui faire passer un message, et
que ça ne durerait que le temps qu'il l'in-
tègre. En fait, elle avait certainement raison sur le fait qu'il fallait secouer de
temps en temps la bête qui menaçait de
s'encroûter. C'est-à-dire lui. Depuis
combien de temps n'étaient-ils pas allés
voir un spectacle ?

Bref, sur l'air de *L'Arnaque* donc, il
décrocha :

— Simeoni !

— François, c'est David.

— Salut, jeune homme ! Comment...

— Pas le temps ! le coupa son vieux
copain, d'une voix tendue. Elisabeth
Audiard, ça te dit quelque chose ?

— Non.

— Et Julien Weber ?

– Non plus.

– Alors, écoute-moi bien. Ils sont tous les deux psychiatres et faisaient partie de la Commission des hospitalisations psychiatriques qui a accepté, à l'origine, la libération de Guillaume Deschamps. J'en parle au passé car ils sont morts tous les deux.

– Quoi !

– Oui. Weber, le vingt-trois juin et Audiard, le vingt-six... Officiellement, de façon naturelle, ce qui explique qu'on n'en ait pas entendu parler.

Simeoni notait fébrilement les informations, l'entendant poursuivre :

– Toi seul peux t'assurer que c'est bien exact. Mais ça fait maintenant quatre personnes, dont le destin a croisé celui de Deschamps, et qui meurent dans un laps de temps plutôt réduit. Je ne crois pas à la coïncidence, François.

– Moi non plus, approuva aussitôt celui-ci... Qui d'autre faisait partie de cette commission ?

– Deux personnes de plus : Gabriel Dermottant, un juge, et une femme nommée Corinne Bélivier, qui est membre d'une association d'aide aux malades mentaux, l'UNAFAM. Je ne sais pas où ils sont basés. Ni même s'ils sont encore vivants.

– Je m'en occupe, David !

François ne s'attarda pas sur le fait qu'ils avaient eux-mêmes raté l'information ! Il serait toujours temps de procéder à leur autocritique plus tard. Pour l'instant, l'urgence primait. Il interrogea à nouveau :

– D'autres éléments ?

– Aucun, pour l'instant. Mais je continue à creuser. Je file chez Michel. J'ai d'autres choses à voir.

– Tu en as parlé à Amélie ?

– J'ai essayé... Impossible de la joindre.

– Ok, David. Superbe boulot ! Je m'en occupe et je te rappelle.

Il raccrocha et resta immobile quelques secondes pour mettre de l'ordre dans ses réflexions, avant de passer à l'action.

– Dolli !

– Serge, c'est Simeoni. Toute l'équipe Highlander est là ?

Son interlocuteur hésita quelques secondes, balayant probablement le plateau du regard pour vérifier.

– Oui, j'ai l'impression.

– Bien. Tout le monde dans mon bureau, sauf toi. Ils te raconteront après...

Ton boulot c'est de me lancer une recherche sur les quatre noms que je vais te donner.

Il lui dicta rapidement les quatre patronymes, avant de poursuivre :

– Ce sont les membres de la Commission des hospitalisations psychiatriques qui a donné son accord pour libérer Deschamps. Les deux premiers seraient morts et je veux tout savoir à ce sujet. Causes, circonstances, rapports de police, d'autopsie éventuellement, etc... Quant aux deux suivants, il faut surtout me les loger pour hier. Compris ?

– Oui, commissaire.

– Merci.

Simeoni raccrocha rapidement avant de composer un nouveau numéro. Une greffière mit quelques secondes à lui répondre :

– Bureau du juge Chauvet.

– Commissaire Simeoni, à l'appareil. Je souhaite parler au juge d'extrême urgence.

– Il est en rendez-vous, commissaire.

– Extérieur ou intérieur ?

– Intérieur.

– Eh bien ! faites-le sortir, s'il vous plaît ! C'est vital. Dites-lui simplement que ça bouge sérieusement sur l'affaire Molina.

La fille accepta et le mit en attente. Pendant ce temps, Simeoni réfléchit à la meilleure façon de procéder. Boursin et Moureau entrèrent dans le bureau, s'emparant des deux chaises vides, suivis quelques secondes plus tard par Salens qui s'adossa au mur. C'est à ce moment-là que le juge fit enfin entendre sa voix, plutôt agacée, glaciale même :

– Commissaire, gronda-t-il. J'espère que vous avez une raison suffisamment bonne pour justifier d'interrompre ma réunion ?

– La meilleure des raisons, monsieur le juge, dit-il, avant de lui exposer ce dont David venait de lui faire part.

Ce faisant, il jeta un coup d'œil à son équipe. Ils avaient tous l'air abasourdis et surtout... coupables. Coupables, comme lui, de n'avoir pas pensé à enquêter dans ce sens. Un long moment de silence dans le combiné prouvait que le juge était manifestement ébranlé à l'autre bout du fil.

– Je conviens que c'est important, commissaire, finit-il par énoncer. Que désirez-vous ?

– L'autorisation d'interroger Molina et de perquisitionner chez lui.

Un nouveau blanc dans la conversation :

– Êtes-vous certain que ça ne puisse pas être une simple coïncidence ? s'enquit le juge.

– Vous y croyez, vous ? Quatre décès, presque concomitants, de personnes ayant été impliquées dans l'affaire Deschamps ?

– Non, concéda enfin le magistrat. Mais je ne peux pas vous accorder la commission rogatoire tout de suite. Il me faut contacter la Chancellerie.

– Monsieur le juge, s'exclama Simeoni atterré, chaque minute compte maintenant !

– Vous aurez certainement votre autorisation, commissaire, mais je ne suis pas en mesure de le faire instantanément.

– Bien, concéda froidement Simeoni, réprimant à grand-peine une envie féroce d'être cinglant... Alors je vous envoie quelqu'un dès que possible avec tous les éléments... Il attendra votre confirmation sur place... Non, d'ailleurs, je viendrai moi-même.

– J'allais vous le demander, commissaire.

Après avoir raccroché, Siméoni tourna son regard vers ses troupes. Ils semblaient tous avoir maintenant assimilé la nouvelle et attendaient ses instructions.

– Bien, j'imagine que vous avez suivi ! dit-il. Ça m'embête aussi qu'on n'ait pas pensé à étudier cet aspect, mais on ne va pas s'attarder là-dessus. Nous avions tellement de champs à couvrir que certains peuvent nous avoir échappé. Donc pas de culpabilité, mais de l'action.

– D'où avez-vous tiré l'information, commissaire ? demanda Moureau.

– Meyer, répondit-il honnêtement, observant les lèvres d'Amélie qui se pinçaient.

Elle devait savoir qu'il avait tenté de la joindre et devait regretter de ne pas avoir pris l'appel.

– Pendant que Chauvet ouvre grand le parapluie, voilà les consignes... Serge travaille en ce moment sur les quatre noms concernés. Vous allez tout de suite l'aider, et m'amènerez l'intégralité de ce que vous pourrez trouver. Dès que vous aurez les coordonnées des deux survivants, s'ils le sont encore, vous contactez immédiatement les forces de police locales et vous faites mettre les intéressés sous protection. Et ça au plus vite, car si j'en juge par les dates de décès des deux derniers, il semble qu'il y ait accélération des meurtres, depuis la découverte dans les catacombes... J'expliquerai d'ailleurs moi-même la situation au juge en question, car il n'appréciera peut-être pas de se faire bousculer par des flics. Compris ?

Ils approuvèrent à l'unisson.

– Je veux aussi que vous me retrouviez l'endroit où sont localisés les deux morts, en espérant qu'ils n'aient pas été déjà enterrés ou incinérés. Un peu tardif pour le premier mais on ne sait jamais. S'il nous reste des corps, j'aurai besoin de requérir une autopsie complète voire une exhumation, en fonction de la situation.

Nouveau hochement de tête collectif et consensuel !

– Deuxième vague, demain matin. Je vais perquisitionner chez Molina et l'interroger même si, pour en avoir l'autorisation, je dois camper à la porte du ministre. C'est ce dont je m'occupe dès ce soir.

Ils sourirent sans joie à ces mots, le laissant poursuivre :

– Vous aussi, vous prendrez la route à la première heure, si possible. Boursin et Moureau chez le juge Dermottant pour l'interroger. Contacts inhabituels ces derniers jours, etc... Il est peu probable qu'il nous apprenne quoi que ce soit de nouveau, mais nous devons le faire. Salens et Dolli, même chose, mais chez Bélivier. Nous verrons comment poursuivre en fonction du résultat de la perquisition. Des questions ? Des suggestions ?

Aucune ne lui parvint.

– Ok, on y va ! Je vous rejoins dans quelques minutes pour voir ce qu'on pourrait dénicher qui convaincra enfin Chauvet que les méchants, c'est pas nous.

– Ça a l'air d'être un drôle de cave, celui-là, grimaça Salens.

– Probablement pas méchant, supposa Simeoni, mais le genre à ne pas faire de vagues... Et complètement dépassé par les implications politiques de cette affaire, au point d'en devenir stupide.

– Le problème, c'est qu'on meurt autant de stupidité que de méchanceté. Peut-être même plus souvent, d'ailleurs, conclut Amélie.

32

Neuilly-en-Thelle – 2 juillet
05 h 45

Simeoni avait du mal à se retenir de pester. La loi lui interdisait d'agir avant six heures du matin. Mais ici, beaucoup de gens se levaient très tôt. Des agriculteurs dont les champs n'attendaient pas, ou ceux qui travaillaient sur Paris et partaient aux aurores, de façon à éviter les bouchons. Au moins trois résidents avaient déjà émergé des maisons mitoyennes, ne manquant pas de remarquer le dispositif policier en place. L'un d'entre eux s'était même emparé, tout à fait ouvertement, de son portable en leur jetant un regard de défi. Ce serait un miracle que Molina ne soit pas avisé de leur présence, songea-t-il.

Aux dernières nouvelles, leur cible se trouvait bien là. François avait pris l'initiative de poster une équipe de policiers

sur les lieux dès la veille au soir, afin
d'inspecter le cadre et, s'il s'en tenait à
leurs observations, la lumière s'était
éteinte vers une heure du matin dans la
maison en question.

Par sa disposition et son orientation, la
demeure de Molina n'était pas facile à
surveiller ni à isoler, si une intervention
brutale s'imposait. Pour pallier à cette difficulté, il avait fait entourer tout le bloc,
mais il savait bien que si Molina les repé-
rait et s'il avait quelque chose à se reprocher, il aurait probablement la possibilité
de s'enfuir assez facilement.

Autre point négatif pour ajouter à la difficulté : les limites de la commission rogatoire qu'il avait obtenue. Il avait la
latitude d'interroger Molina chez lui et de
perquisitionner sa maison, mais dans le
cas où celui-ci refuserait de répondre et
s'ils ne découvraient rien de spécifique, il
lui serait interdit de le retenir en garde à
vue pour l'interroger.

Il avait tout tenté mais c'était la seule
chose qu'il avait pu obtenir, et encore en
se battant de toutes ses forces. Les
preuves étaient jugées encore trop ténues
pour qu'on puisse risquer de s'exposer à
une nouvelle accusation de harcèlement à

l'encontre d'un père éploré. Rien n'avait encore démontré que les morts des deux membres de la Commission des hospitalisations n'étaient pas naturelles. En fait, ça serait même totalement impossible à prouver dans le cas de Weber, déjà incinéré à la demande de la famille. Ses cendres avaient été dispersées en accord avec ses dernières volontés. Une crise cardiaque semblait être le motif officiel de son décès, hypothèse d'autant plus plausible qu'il n'en était pas à sa première alerte.

Simeoni attendait bien plus du dossier Audiard. Un malaise vagal aurait entraîné une syncope dans sa baignoire où elle se serait noyée accidentellement. Le corps avait pu être récupéré avant inhumation et avait été orienté à nouveau vers une table d'examen, où il serait ausculté avec tout le soin nécessaire.

Un crissement de pneus, quelques mètres derrière lui, attira son attention et il fut tenté de jurer en voyant ce qui leur tombait dessus ! Un camion arrivait, surmonté d'antennes diverses peu discrètes, arborant le logo de l'une des plus grandes chaînes de télévision nationale ! Quelqu'un les avait prévenus et dans quelques minutes, ce qui débutait déjà sous des auspices pour le moins défavorables, courrait le risque de se métamorphoser en cirque complet ! Il appela rapidement le capitaine de la brigade de gendarmerie qui les assistait, afin de lui donner instruction de s'assurer de l'étanchéité du cordon, distinguant, par la même occasion, la silhouette rondouillarde du juge Chauvet que l'approche des caméras avait sans doute fait sortir de sa voiture où il attendait douillettement l'heure de l'intervention.

Nouveau coup d'œil à sa montre : moins cinq. La trotteuse prenait des allures d'escargot ! Un couple de journalistes était maintenant sorti du véhicule des médias et avait entrepris de discuter avec l'officier en charge du cordon. Sans succès probablement, puisque la femme leur tourna rapidement le dos, commençant à s'exprimer dans le micro qu'elle tenait à la main, pendant que son partenaire, caméra sur l'épaule, la filmait, balayant de temps en temps l'ensemble du dispositif.

Le juge s'approcha lentement d'eux, probablement fasciné par la lumière des projecteurs, comme un papillon de nuit, avant de finalement se raviser, démontrant par là sa première lueur d'intelligence de la matinée. « Pas vraiment le moment de tenir une conférence de presse ! » songea Simeoni, observant le magistrat qui se dirigeait maintenant vers lui. Celui-ci tenait son portable à l'oreille, probablement pour prévenir qui de droit que les emmerdes n'allaient pas tarder à commencer avec l'arrivée des journalistes.

– C'est l'heure, commissaire !

Simeoni se tourna vers Gérard Cavana, un des deux hommes de la Crim' qu'il avait retenus pour l'assister sur cette opération. L'autre, le capitaine Mourad, se tenait quelques mètres plus loin, accompagné d'un serrurier.

– Ok, on y va ! ordonna-t-il.

Il fit un geste rapide à l'intention du juge en désignant sa montre. Celui-ci lança encore quelques phrases dans le combiné avant de l'éteindre pour venir vers lui à grands pas.

– J'espère vraiment qu'on trouvera quelque chose ! dit-il en arrivant, essoufflé comme si c'était lui qui devait fournir le plus d'efforts, ce matin.

Considérant ses doigts légèrement jaunis, ainsi que son haleine de cendrier, déjà bien perceptible à cette heure matinale, cela n'avait rien d'étonnant. Un gros fumeur dont le seul sport était de trouver la plus grande bâche possible pour se couvrir. Les juges comme les flics sont souvent des gens de grande qualité, songea François, mais celui-là fait sans conteste partie de ceux qui font mentir la réputation. Et celui-ci devait fortement regretter que l'affaire Highlander lui soit échue pendant son tour de permanence.

Ne laissant rien percevoir de ses sentiments, Simeoni s'engagea enfin dans le passage, conscient de la présence de son équipe derrière lui et de celle de la caméra qui n'avait pas manqué de repérer le petit groupe qui venait de s'ébranler. La forme rondouillarde du juge s'installa à sa hauteur, et Simeoni intervint avant qu'il ne se soit permis de faire un autre commentaire.

– Vous devriez faire attention... Si Molina est vraiment le forcené armé que nous pouvons envisager, ça pourrait être dangereux pour vous de rester devant.

Sur ces mots, Chauvet rétrograda rapidement, se glissant en queue de peloton.

Simeoni, imperturbable, le suivit brièvement des yeux, croisant le regard amusé
de Mourad qui n'avait pas perdu une
miette de l'échange, et n'en pensait pas
moins non plus.

Aucun signe de vie dans la maison. Ils
ouvrirent le portail et se glissèrent rapidement dans le jardin, François notant au
passage qu'une femme d'un certain âge
les observait avec curiosité de la fenêtre
d'une demeure voisine.

Ils s'arrêtèrent sur le pas de la porte :
Simeoni sonna longuement à plusieurs
reprises, frappant aussi sur le battant tout
en se présentant à voix forte. Aucune
réponse. Molina était soit terré et faisait
le sourd, soit il avait décidé de profiter de
la nuit pour se faire la malle.

Paradoxalement, cette idée le soulagea
beaucoup plus qu'elle ne l'attrista.
D'abord il s'y attendait et, ensuite, ce
départ pouvait confirmer que le père avait
bien quelque chose à se reprocher. Le pire
des cas serait qu'il se présente à sa porte,
refuse de leur parler et qu'ils ne trouvent
rien sur les lieux. Il fit un signe rapide au
technicien qui, posant sa sacoche à ses

pieds, s'escrima pendant deux minutes sur la serrure.

– C'est ouvert, dit-il enfin, entrebâillant le battant.

Simeoni s'introduisit dans la maison.

– Police ! hurla-t-il à plusieurs reprises, dans l'obscurité.

Aucune réponse.

– Vous pouvez allumer les lumières. Mourad et Simon, vous me suivez pour un tour rapide de la maison. Monsieur le juge, restez bien derrière nous, pendant que nous vérifions qu'il n'y a personne.

L'inspection rapide mais détaillée ne donna rien. Molina s'était bel et bien envolé ! Il était temps de procéder à la fouille proprement dite, qu'ils conduisirent aussi consciencieusement que possible. L'habitation était relativement petite. Deux chambres et une salle de bain seulement à l'étage, le lit défait devait être celui de Molina. On ne pouvait y détecter une quelconque chaleur résiduelle. En bas, un salon ainsi qu'une cuisine et une pièce qui devait faire office de buanderie. La porte donnant sur la courette arrière n'était pas verrouillée et François l'ouvrit, le regard attiré par le muret qui donnait sur le jardin de la maison voisine. Pas

plus d'un mètre de haut, observa-t-il,
maintenant convaincu que Molina s'était
éclipsé par là. Mais depuis quand ?

Il revint vers le salon. Le mobilier était
spartiate. L'exploration détaillée des lieux
finit par le conduire devant une
commode, portant une petite télévision
ainsi qu'un cadre rectangulaire, vide de
photo. Il s'y trouvait probablement celle
de ses filles, songea François, de plus en
plus intimement persuadé que Molina
était parti pour ne plus revenir emportant
ces derniers souvenirs avec lui. C'est en se
dirigeant vers cette commode qu'il remar-
qua que le tapis résonnait différemment
sous ses pas. Il jeta un rapide coup d'œil
à Chauvet qui venait de pénétrer dans la
pièce après avoir suivi Mourad à l'étage
ou Simon dans la cuisine, et qui venait
maintenant s'assurer que tout se déroulait
normalement. Simeoni s'accroupit pour
soulever la pièce de laine, découvrant au
milieu du dallage une trappe rectangulaire de bois clair, équipée d'un anneau
central, permettant d'accéder à une cave.
Laissant le tapis retourné, il laissa cette
ouverture de côté, le temps de terminer la

fouille du salon et notamment de la commode.

Impression curieuse de travailler dans le silence seulement rythmé par le bruit des tiroirs qui coulissaient ou ceux de la vaisselle déplacée dans la cuisine où Simon s'affairait consciencieusement. Même le juge ne faisait plus de commentaires, se contentant d'observer. Le dernier tiroir révéla plusieurs albums de photos que Simeoni feuilleta rapidement, attendri malgré lui devant ces images du bonheur perdu : les filles de Molina, à tous les âges de leur vie, ainsi que le portrait d'une femme aux traits plus affirmés, celui de leur mère. Il les déposa rapidement sur la commode pour une inspection ultérieure plus détaillée, avant d'entreprendre la fouille des coussins du canapé, qu'il décala légèrement pour s'assurer que rien n'était dissimulé derrière.

Simon pénétra à son tour dans la pièce.

– Rien dans la cuisine ni dans la buanderie, commissaire.

Simeoni lui désigna la trappe du doigt, qu'il ouvrit sans attendre avant de disparaître dans le sous-sol.

François avait oublié quelque chose. Il retourna vers la commode, afin d'en retirer complètement les tiroirs et vérifier qu'aucun document n'était scotché en dessous. Il entendit soudain une voix étouffée :

– Par ici, commissaire !

L'appel provenait de la cave. À son tour, il se glissa dans l'ouverture, négociant avec prudence la petite dizaine de marches, se cognant la tête au passage contre un rebord de béton. Il se retint de jurer et se dirigea vers la silhouette de Simon, qui se tenait immobile et observait le fond de la pièce, à la lumière crue d'une lampe halogène. L'endroit était propre, vaste et comportait un coin bureau imposant, équipé d'un ensemble de plusieurs ordinateurs ainsi que de rayonnages, surchargés de papiers. Au format de poster, une immense photographie des trois filles de Molina occupait tout un pan de mur.

– Simon, ordonna Simeoni, il y a un spécialiste informatique avec la gendarmerie. Tu me l'envoies, s'il te plaît !

Celui-ci hocha la tête et remonta les marches, après avoir laissé passer le juge qui venait se rendre compte à son tour.

– C'est quoi ça ? interrogea Chauvet.

– L'intimité de Molina, murmura François qui commençait à feuilleter les liasses de papier.

Il se figea d'un coup en appréciant l'importance de ce qu'il découvrait : des copies exhaustives de rapports de police, bien plus complets que ceux qui circulaient maintenant sur Internet.

– Monsieur le juge, prononça-t-il sans émotion, à mon avis, vous devriez prévenir le procureur. Nous savons, à présent, qui a diffusé la liste des pédophiles et autres délinquants sexuels...

33

Paris – 2 juillet – 09 h 00

– Qu'est-ce qui te prend ? sursaute
Michel Ramier, en me voyant faire irruption dans son bocal. Tu es du genre à
débouler à l'heure de l'apéro plutôt qu'à
celle du café !

Que lui répondre à part émettre senten-
cieux et de mauvaise foi :

– Le monde appartient à ceux qui se
lèvent tôt.

Il me considère avec l'air du gars à qui
on apprend qu'il va hériter des millions
d'un oncle d'Amérique inconnu, c'est-à-
dire éberlué, époustouflé. Je ne serais pas
surpris de le voir s'agenouiller pour se
mettre en prière. Mais il ne le fait pas, se
contentant de joindre les mains et de s'ex-
clamer sur un ton de louange :

– Alléluia ! Je n'aurais jamais pensé
entendre un tel commentaire sortir de tes
lèvres. Et que me vaut l'honneur de ta pré-

sence si... précoce ? Tu t'es enfin décidé à fréquenter les masses laborieuses ?

– Non, je suis venu te remettre un papier qui, en échange d'une modique rémunération, rendra ton journal un peu plus célèbre... en attendant un second article encore plus mirifique qui devrait suivre.

– Tu me mets l'eau à la bouche, sauf pour l'aspect financier, bien évidemment.

– L'art se paie, mon ami. Considère-toi comme un mécène.

Il sourit et tend la main :

– Alors, aboule le chef-d'œuvre !

Je le lui remets et me dirige vers sa cafetière électrique. Bien noir pour moi ! Faut dire que je me suis couché un peu tard cette nuit et, surtout, comme en témoigne la réaction épidermique et instinctive de mon vénéré copain rédacteur en chef, réveillé bien trop tôt.

– Putain ! s'exclame-t-il en cours de lecture, c'est de la dynamite !

– C'est ce que je pense aussi...

Il se redresse brutalement sur son siège et décroche son téléphone pour appeler un numéro interne.

– René, ordonne-t-il, j'en veux quatre sur l'édition de l'après-midi. Non, fais-m'en plutôt huit à la une. On déplace le voyage officiel. Je t'envoie les détails sous peu.

Puis il raccroche et me fixe :

– Même tarif ?

Je soupire lourdement, parodiant la souffrance la plus profonde, mais secrètement flatté que le Premier ministre quitte la une pour laisser la place à David Meyer. Il me semble avoir entendu dire, ce matin, qu'il se rendait quelque part du côté de l'Ouzbékistan pour vendre des Airbus. Ou un truc dans le genre. Le genre d'info frétillante qui assomme les lecteurs.

Je finis par concéder avec dignité :

– D'accord ! Après tout, je ne tiens pas à écorner ta rentabilité. Mais j'espère que tu sauras t'en souvenir lorsqu'un prochain sujet sera un peu moins d'actualité.

– Promis !   m'accorde-t-il   gracieusement.

– Surtout que j'ai quelque chose de plus explosif encore.

– Quoi ! hurle-t-il, tu as mieux que ça ?

Je réponds modestement :

– Vi !

L'article que je lui ai passé relate la curieuse découverte des deux nouveaux décès dans le cadre de la série Deschamps.

Ce qui est déjà pas mal, puisque personne n'en a encore fait la relation. Mais je viens d'avoir François qui m'a laissé entendre que la perquisition chez Molina avait produit des résultats fabuleux. Il ne m'a pas précisé quoi, bien évidemment, ne prenant pas le risque de se confier ouvertement dans un portable. Mais je dois le rencontrer en début de soirée et je sais qu'il me refilera le tuyau de vive voix, en remerciement de ma première intervention qui a déclenché la perquisition. Il sait en confiance que je ne publierai rien qui risquerait de le mettre en porte-à-faux, quand bien même ce serait le scoop du siècle. Il vaut mieux rater une occasion, aussi exceptionnelle soit-elle, que prendre le risque de casser une amitié comme la nôtre.

– C'est quoi ? demande Michel.

– Je l'ignore encore.

Il fait la moue, ne me croit pas, mais il n'insiste pas non plus. Il connaît mon sens des responsabilités et mes scrupules déontologiques...

– Bon, m'interroge-t-il, pressé maintenant de mettre l'article en forme, en quoi puis-je t'être utile ?

– Les photos ?

J'ai demandé à Michel de me récupérer

toutes les photos disponibles, relatives au dossier Deschamps. Il faut savoir que lorsqu'un journal publie un cliché, il achète le plus souvent cette photo auprès d'agences spécialisées, qui prennent des centaines d'images du même événement. L'histoire Molina, ayant été largement médiatisée, il existe donc énormément de planches, aussi bien des procès que de l'enterrement des jeunes filles... C'est tout ce dossier que j'ai demandé à Michel de me procurer. D'abord, j'ai besoin de mieux appréhender l'ambiance pour nourrir mes articles de fond sur l'affaire, la photographie révélant parfois des choses, au-delà de ce que la plume peut apprécier. Et puis, je tiens à les examiner dans le détail pour m'assurer de la présence ou non de Béruse ou de Dervier, ou d'autres personnes, qui pourraient fournir une matière intéressante pour mes papiers à venir.

– Elles sont en bas. Je te les fais monter ?

– Non, merci ! Je les prendrai en passant.

Je repose la tasse vide sur le bureau.

– À plus tard !

Il ne m'a même pas entendu, il est déjà occupé à remanier sa une.

34

Paris – 2 juillet – 12 h 00

Une plombe déjà que j'épluche la liasse
de photos, et je découvre à peine celles qui
couvrent le second procès Deschamps.
Plus médiatisé que ça, tu meurs ! Mieux
qu'un mariage princier ! Et il en est qui
disent que le crime n'intéresse pas les
gens ! Michel a bien fait les choses : ce
n'est pas une agence qu'il a contactée,
mais toutes ! Je n'en demandais pas tant !
Béruse est bien représenté à toutes les
phases du premier procès, mais rien de
plus. Je commence à être un peu fatigué
de scruter les images : salle d'audience,
extérieurs, à nouveau tribunal. Je passe
de plus en plus vite sur les clichés, lorsque
mon téléphone se met à sonner.

Bénissant l'interruption qui me permet
de faire une pause, je ne perds pas de
temps à me déplacer pour répondre. J'ai
dans l'oreille un Michel Ramier, de fort

mauvaise humeur, qui ne me fait pas
attendre longtemps avant d'asséner :

– Allume la télé ! On parle de ton
deuxième scoop.

– C'est-à-dire ?

– Regarde et rappelle-moi, me dit-il
avant de raccrocher brutalement, me laissant imaginer qu'il est sous pression
d'avoir à refaire sa une, pour la seconde
fois de la matinée.

J'allume le poste sur une chaîne généra-
liste où une charmante jeune femme rayon-
nante de bonheur nous explique que,
depuis que son mari dort sur des matelas
Rododo, son sommeil est de meilleure qualité pour une libido enfin réveillée.

Ça y est ! Je viens de retrouver ma télé-
commande. Mon royaume pour une
chaîne d'infos ! Et on y cause bien de
Molina, mais d'une façon totalement inattendue. J'ignore encore avec certitude s'il
est impliqué dans ce que j'appelle la série
de meurtres Deschamps, mais je dois
reconnaître qu'il est loin d'être idiot ! Il
vient de faire parvenir à deux ou trois
chaînes de télévision – ce qui explique que
Ramier fasse la gueule – une cassette
vidéo qui passe maintenant en boucle à
l'antenne. Il y explique qu'il était de son

devoir d'informer les gens des dangers qui pouvaient les guetter dans leur entourage. Aussi, a-t-il fait en sorte de se procurer et de diffuser la liste de tous les délinquants sexuels qui terrorisaient nos belles provinces. Magistrale opération ! D'une part, en jouant sur la corde sensible du « J'ai fait ça pour vous », il se pose en martyr, au cas où la police le poursuivrait encore pour des meurtres de personnes liées à l'affaire Deschamps. D'autre part, en suggérant, comme il le fait, que de nombreux volontaires et sympathisants l'ont aidé à compiler cette liste, il s'assure que ces meurtres, s'ils étaient avérés, pouvaient tout aussi bien avoir été commandités par d'autres que lui, tout aussi résolus à éradiquer la pourriture de notre société...

Je ne peux qu'admirer l'habileté de la manœuvre. Si le coup est calculé, il est diabolique, car il ne peut réussir qu'à la seule condition qu'on ne trouve jamais de preuves de son implication personnelle dans les assassinats de Béruse, Dervier et, éventuellement, des deux autres. Et s'il a participé à ces crimes d'une quelconque façon, qu'on ne trouve rien qui puisse le compromettre dans ces affaires.

Je subodore alors une somme d'emmerdements pour Simeoni et ses troupes avant qu'ils n'arrivent à établir cette complicité.

– Bien joué, Molina ! ne puis-je m'empêcher de prononcer, plutôt admiratif.

Que faire maintenant ? Dois-je préparer tout de suite un nouvel article ou attendre d'en avoir fini avec les photos ? Il vaut mieux que je poursuive du côté des images. Parce que j'aime finir ce que je commence et, surtout, parce que je sais maintenant que Molina est revenu officiellement sur la place publique et que je vais avoir besoin de biscuits pour comprendre toute l'affaire.

Mais d'abord, un petit coup de fil rapide à ma chérie qui doit être sous pression.

– Commissaire Boursin !

– Plumitif Meyer !

– Comment vas-tu ? m'interroge-t-elle sur un ton réservé qui veut dire : « Je ne suis pas seule. »

– J'avais envie de t'entendre.

Sa voix sourit dans le téléphone :

– C'est fait ! Nous arrivons bientôt à Metz.

– Tu visites qui ? Le juge ? Ou l'autre ?

– Le premier.

– Et Moureau se tient bien ?

– C'est lui qui conduit.

– Tant mieux. Ça lui occupera les mains.

Elle rit. Je poursuis :

– Tu as entendu les nouvelles ?

– Lesquelles ?

Elle ne semble pas au courant, ce qui n'a rien d'étonnant puisque le message vient à peine d'être diffusé sur l'antenne et que les autorités, à commencer par François, doivent être plus occupées, pour le moment, à préparer leurs répliques qu'à relayer l'info.

Je la mets brièvement au courant. Elle grogne et je l'entends demander à Moureau d'allumer la radio.

– Merci de l'info. Je te laisse maintenant. François va probablement me contacter. Je te rappellerai.

– Réclame la fonction double appel, lui dis-je.

– J'en suis déjà équipée !

Ça m'a fait du bien de l'entendre, mais après la détente, il est temps de passer au choses sérieuses. Direction mon bureau où je m'attaque à nouveau à ce pêle-mêle d'images !

Et la pêche ne manque pas d'être bonne !

35

Metz – 2 juillet – 13 h 00

« Une bonne soixantaine d'années »,
songea Amélie, essayant d'estimer l'âge du
juge Gabriel Dermottant. Sa date de naissance figurait bien sur le dossier qu'elle
avait rapidement survolé avant de
prendre la route, mais elle ne se souvenait
pas vraiment de l'année. Malgré son âge,
il avait fière allure avec ses cheveux
blancs parfaitement coiffés et un menton
encore volontaire. Sa voix, forte et autori-
taire, confirmait cette distinction. Un
homme qui avait coutume d'être écouté et
respecté !

Sa résidence tenait plus du manoir que
de la simple habitation et était située
assez loin de l'agglomération proprement
dite, entourée sur deux de ses côtés par
des bois épais et touffus. Ainsi isolée,
Highlander n'aurait eu aucun mal à l'approcher et à y pénétrer, s'il en avait
éprouvé l'envie.

À l'intérieur, le petit salon où ils se tenaient avait des parois lambrissées de bois clair. Une bibliothèque massive, remplie d'ouvrages anciens, agrémentait l'espace au milieu duquel quelques fauteuils confortables les avaient accueillis.

Arrivés une vingtaine de minutes plus tôt, ils avaient d'abord passé un peu de temps avec les agents en faction à l'entrée, tentant autant que possible d'apprécier la situation. Amélie se demandait si le magistrat avait réellement conscience du danger qu'il courait, en vivant dans ce parc impossible à surveiller, même à grands renforts de policiers ! D'autant plus qu'il avait cru bon, le matin même, de vaquer à ses occupations chez son libraire et chez son garagiste, sans se soucier un instant de sa sécurité. Était-ce de l'arrogance ou de l'inconscience, elle ne savait pas encore...

Dermottant ajusta soigneusement les pans de sa veste, avant d'entamer la conversation :

– Ainsi, vous faites partie de l'équipe chargée d'enquêter sur ce fameux Highlander ?

– Oui, monsieur le juge.

Le ton du magistrat était direct, mais courtois.

– Passons, s'il vous plaît, sur les « monsieur le juge », ou nous n'en finirons pas. Vous comprendrez que j'ai quelques questions à vous poser et je déteste attendre les réponses.

– Aucun problème, répondit-elle en souriant, commençant à apprécier sa rigueur et son côté « droit au but ».

– Si j'ai bien compris ce que me disait le commissaire Simeoni, hier soir, il semblerait, et je parle volontairement au conditionnel, que Highlander, après avoir tué un avocat du nom de Victor Béruse ainsi qu'une psychiatre de l'UMD de Sarreguemines, se soit décidé à poursuivre sa vengeance en s'attaquant maintenant aux membres de la Commission des hospitalisations psychiatriques, dont je faisais partie à une certaine époque.

– C'est ça, approuva-t-elle.

– Et cette personne, ce tueur ou ce commanditaire pourrait être Xavier Molina qui est en fuite, si j'en juge par ce que je viens d'entendre aux informations.

– Ce n'est pas aussi simple, hésita Amélie.

– C'est-à-dire ?

– Nous savons avec certitude que Molina est l'homme qui a diffusé, sur Internet, la liste de délinquants sexuels qui fait couler beaucoup d'encre depuis quelques jours.

– Oui, et alors ?

– Il est possible qu'il ne soit pas lui-même Highlander, mais que le tueur soit un de ses proches qui aurait souhaité reprendre sa vengeance à son compte. Pour résumer, nous ne sommes pas certains de l'identité de l'assassin, même s'il apparaît qu'il ait des liens avec Molina.

– Je vois, répondit-il, ironique. Donc, vous n'êtes certains de rien !

Elle voulut répliquer, mais il leva la main pour lui demander de patienter.

– D'autant plus, renchérit-il, que je me suis bien évidemment renseigné, puisque ma vie est supposée être en danger. Or, les morts de Weber et d'Audiard sont encore, à ma connaissance, considérées comme accidentelles.

– Weber a été incinéré...

– Je sais, rétorqua-t-il. Et je sais aussi que vous avez demandé à l'IML une nouvelle expertise du corps d'Audiard, qui n'a rien donné.

Elle fut surprise qu'il en ait été informé si vite : la nouvelle autopsie n'avait été entreprise que le matin même ! Il sourit, en remarquant l'effet produit sur la jeune femme.

– Le médecin légiste est une vieille connaissance. Il a tenu à me mettre au courant dès que possible.

Elle ne répondit rien, le laissant enchaîner :

– Vous comprenez donc que vous me demandez de vivre sous protection et d'avoir peur de mon ombre, pour une raison qui n'est encore que pure spéculation de votre part...

– Highlander n'est pas une spéculation, monsieur le juge, l'interrompit Moureau avec rudesse. J'ai moi-même découvert les deux premiers corps et il ne s'agissait pas d'une plaisanterie.

Le juge le considéra longuement du regard. « Ainsi, il parle aussi ! » semblait-il penser. Il hésitait manifestement entre une réponse cinglante et le fait de rester calme, décidant finalement d'une repartie apaisante :

– J'en suis conscient, capitaine. Mais deux raisons m'incitent à me montrer plus que réservé à l'égard de ce que vous m'annoncez. La première, c'est le fait que vous n'ayez aucune preuve de crimes, mais seulement des présomptions. La seconde tient tout bonnement au fait que je suis juge et que, comme il se doit, j'ai été confronté dans ma vie à mon lot de menaces, et cela ne m'a jamais conduit à changer ma façon d'être... Alors, pourquoi devrais-je le faire maintenant ?

Olivier sourit mais son regard restait de glace. Il ne l'aimait pas beaucoup, analysa Amélie, qui ressentait elle-même des sentiments mitigés à l'égard du magistrat. Elle respectait son courage, mais on pouvait légitimement se demander si cette bravoure affichée n'était pas de l'arrogance, ou bien la conscience de sa supériorité et le sentiment prétentieux de son invulnérabilité. Ayant déjà éprouvé le caractère entier de Moureau, souvent rigide dans l'échange, imprévisible et déroutant, elle intervint à nouveau afin d'éviter un dérapage fâcheux :

– Nous comprenons votre position, mais vous n'ignorez pas non plus que, dans ces circonstances, nous sommes obligés d'être prudents et de vous protéger, en attendant que la situation se décante.

Dermottant grommela quelque chose d'inintelligible, à l'évidence peu convaincu, mais reconnaissant en partie le bien-fondé de ses arguments. Dans le doute, elle continua :

– Si vous le permettez, j'aimerais, moi aussi, vous poser quelques questions ?

Il acquiesça sans mot dire.

– Pourriez-vous me parler de la façon dont s'est déroulée l'audition qui a conduit à la libération de Deschamps ?

– Quel intérêt ?

– Celui de mieux comprendre.

Il réfléchit, semblant revivre les événements :

– J'ai relu, hier soir, mes notes à ce sujet. Excepté sa fin tragique, cette libération n'était pas vraiment différente de celles auxquelles nous avions coutume de procéder, elle n'avait rien d'extraordinaire.

– Sauf que Deschamps avait déjà trois morts à son actif, contra agressivement Moureau.

– C'est exact et c'est une des raisons pour lesquelles nous avons fait preuve d'une plus grande vigilance. La demande a été directement défendue par Isabelle Dervier qui avait suivi Deschamps plus particulièrement. Mais le dossier était validé par l'ensemble des médecins de l'UMD. Exceptionnellement, nous avons quand même tenu à procéder à plusieurs auditions avant de prendre la décision d'accéder à la demande.

– Et rien dans son dossier ne vous a poussés à être... encore plus méfiants ? insista Amélie.

Dermottant soupira :

– Ce n'est pas comme si nous étions saisis par n'importe quel membre de la famille, sans expérience ni compétence. Le dossier avait été monté par quelques-uns des meilleurs spécialistes psychiatres. Ils connaissaient le cas Deschamps ! Pas nous ! Comment, en quelques auditions, aurions-nous pu apprécier sa dangerosité quand ceux qui vivaient quotidiennement avec lui n'en avaient pas conscience ? Nous avons fait de notre mieux.

– Une façon de se défausser ? ricana Moureau qui dépassait vraiment les bornes !

Amélie lui jeta un regard noir, s'attendant à une explosion du juge qui n'était certainement pas du genre à se laisser insulter chez lui. Mais, contrairement à ses craintes, Dermottant restait impavide, plongé dans ses souvenirs au point de ne plus faire attention à l'instant présent.

Son commentaire prouva néanmoins qu'il avait entendu la remarque :

– Non, hélas ! Nous ne sommes pas toujours en position de pouvoir juger avec une totale certitude, sinon ce serait trop simple... De la même façon, quand je relâche un prévenu à mon audience, je ne peux jamais préjuger s'il récidivera ou non. Notre métier nous impose de prendre des risques, de procéder à des arbitrages, à des compromis, que nous essayons de calculer au mieux. Mais il ne nous est pas possible d'envisager de l'exercer sans admettre le risque d'erreur. Le refuser, c'est refuser la fonction même, et c'est cette dérobade qui reviendrait alors à se défausser.

Au grand soulagement d'Amélie, Moureau se contenta de grogner.

– Le sentiment de culpabilité est bel et bien présent, capitaine, ajouta Dermottant. Mais si nous devions nous y arrêter, alors autant supprimer les juges et la justice. Mes décisions, nos conclusions peuvent avoir des répercussions dramatiques et nous en sommes tout à fait conscients. Mais devons-nous renoncer pour autant ?

Qui peut faire du meilleur travail à notre place ? Vous ? Vous ne me semblez pas si naïf... !

Amélie était soucieuse d'éviter un débat polémique. Au même moment, David l'appelait au téléphone. Que voulait-il encore ? Elle hésita à décrocher mais se souvint que s'il prenait la peine de la contacter, chacun de ses appels étaient justifiés par des informations nouvelles et utiles.

– Pardonnez-moi, dit-elle. Je dois répondre !

36

Paris – 2 juillet – 13 h 30

Ce que j'ai découvert est énorme, trop énorme ! Inimaginable, indéniable ! Maintenant, que faut-il en conclure ? S'agit-il d'une simple coïncidence à la mesure du procès et des obsèques si fortement médiatisées ? Impensable ! Je ne peux croire à ce genre de hasard. Ce serait trop gros et l'intéressé ne nous a jamais mentionné le fait qu'il connaissait l'une des victimes. Cependant, tout concourt à le soupçonner, à commencer par les lieux même du crime !

Ses raisons, je les ignore, mais je ne tarderai pas à les connaître.

J'examine à nouveau les deux photos posées sur la table, devant moi. La première est prise pendant le second procès et montre Xavier Molina se retournant sur sa chaise pour le foudroyer du regard. Ses traits sont un peu flous, mais la loupe m'a permis de vérifier son identité.

La seconde image, prise pendant l'enterrement des deux sœurs, le montre au milieu de la foule, en train de discuter avec Isabelle Dervier, elle-même ! De telles coïncidences sont inconcevables.

Je dois appeler Amélie de toute urgence.

Une sonnerie, deux. Pourvu qu'elle réponde ! Elle doit répondre ! Les sonneries s'enchaînent, au point que j'envisage de couper pour rappeler instantanément, façon de signifier l'urgence. Mon cœur bat plus rapidement, les pulsations semblent maintenant s'enchaîner à une vitesse effrénée. J'approche mon pouce de la touche interruption lorsqu'elle répond enfin !

– Boursin !

J'en bafouille presque dans ma hâte à lui transmettre le message, les mots sortent de ma bouche au rythme fou de l'inquiétude qui m'habite.

– Amélie, écoute-moi bien ! J'ai de très bonnes raisons de penser que Moureau est Highlander ! Je ne plaisante pas cette fois-ci, crois-moi !

37

Metz – 2 juillet – 13 h 30

– Tu es complètement dingue, David !
ne put-elle s'empêcher de laisser échapper, tout en jetant d'instinct un coup d'œil
à Moureau qui s'était mis debout. Quelle
énorme erreur !

Comme dans un mauvais rêve, elle le vit
plonger rapidement la main dans la poche
de son blouson, pour en extraire un revolver au canon muni d'un silencieux qu'il
braqua dans sa direction. Tétanisée, elle
ne distinguait même plus la voix de David
dans le combiné, subjuguée par l'œil noir
de cette arme. Elle avait déjà connu la
peur, passé du temps à l'hôpital victime
du coup de couteau d'un forcené, mais
c'était la première fois qu'elle se retrouvait réellement du mauvais côté d'une
arme. Elle pensait avoir été préparée à ce
genre de situation, mais ce n'était que de
la théorie !

– Coupe ton portable, Amélie ! ordonna Moureau.

– Ainsi, c'est toi ? murmura-t-elle, ne réalisant pas encore vraiment ce qui se passait, bouleversée par les nombreuses questions qui se bousculaient dans son esprit.

– Qu'est-ce que ça veut dire ? intervint brutalement Dermottant, tout en s'arc-boutant sur les accoudoirs du fauteuil, afin de se relever.

Pour toute réponse, l'arme dévia simplement de quelques centimètres dans sa direction et cracha deux balles, avant de remettre Amélie en joue. Elle n'avait pas eu le temps de réagir ; elle n'avait même pas réalisé l'évidence. Même si elle sentait le poids de son revolver sur sa hanche droite, elle savait qu'elle n'aurait jamais le temps de s'en saisir. Elle regarda le magistrat, qui s'était effondré sur son fauteuil et dont la bouche muette tentait encore de prononcer des mots qui resteraient inaudibles.

– Pourquoi ? demanda-t-elle, terrorisée, malgré elle, par cette folle froideur meurtrière.

– Pour la dernière fois, lâche ton portable !

Sans couper la communication, elle ouvrit les doigts et laissa tomber l'appareil sur la moquette.

– Pourquoi ? reprit-elle.

– Pas le temps de t'expliquer. Dans quelques minutes, ton ami aura prévenu tout le monde, si ce n'est déjà fait. En attendant, mets-toi à genoux !

Un mouvement de révolte soudaine :

– Pour que tu m'abattes de cette façon ! Hors de question !

Il sourit doucement... Image de tolérance !

– Si j'avais voulu te tuer, je l'aurais déjà fait. Je n'ai rien contre toi personnellement, alors ne m'oblige pas à te descendre !

Elle devenait enragée par cette forme de condescendance et ne savait plus quelle conduite tenir. Mais l'instinct de survie finit par reprendre le dessus. Il avait bel et bien toutes les cartes en main, et sa vie ne dépendait plus que de sa bonne volonté. Et ce n'étaient pas les flics au-dehors qui pourraient l'aider, n'ayant certainement rien entendu des coups de feu étouffés par le silencieux.

Alors elle se résigna à s'agenouiller lentement, comptant sur une erreur de sa part tandis qu'il s'approchait d'elle, son arme tenue fermement, ne lui laissant aucune occasion de le contrer.

Il prit du champ prudemment pour la contourner...

Pas un mot, pas un bruit, elle n'entendait que le bruissement de ses pas sur la moquette...

Elle devinait maintenant sa présence derrière elle...

Puis un violent coup l'assomma et lui fit perdre connaissance...

Moureau considéra le corps inanimé pendant quelques secondes avant de revenir vers le juge. Celui-ci n'en avait plus pour très longtemps à vivre : un filet de sang s'écoulait lentement de la commissure de ses lèvres, sa faible respiration était hésitante, ses yeux vitreux le regardaient fixement...

Il éleva à nouveau son arme et, calmement, logea une troisième balle dans l'orbite gauche.

Il était temps de bouger maintenant. Il ne faudrait que quelques minutes à Meyer pour contacter Simeoni et ordonner le branle-bas. Il ôta le silencieux de son arme,

inspecta les lieux une dernière fois et se dirigea vers la porte qu'il verrouilla de l'intérieur. Puis il sortit par la porte-fenêtre dont
il bloqua les vantaux derrière lui, du mieux
possible. Il fit rapidement le tour de la maison en passant par le bois, et s'engouffra
dans la voiture. Après quelques secondes, il
parvint à l'entrée principale du domaine, où
deux policiers seulement étaient en faction.

Il se pencha à la portière pour dévisager
l'un d'eux, jeune brigadier.

– Ça va ? Vous ne trouvez pas le temps
trop long ?

Le gars sourit en répondant :

– Il fait beau, donc j'imagine qu'on ne
peut pas vraiment se plaindre... Vous par-
tez, capitaine ?

Moureau estima qu'un officier de la
Crim' n'avait pas à justifier ses mouve-
ments auprès d'un brigadier de la police
locale. D'autant plus que celui-ci était loin
de se douter de la tournure des événements. Il lui répondit pourtant :

– Oui, mais le commissaire Boursin reste
là avec le juge. Elle vous fera signe bientôt...
En attendant, bonne continuation !

– Bien, capitaine. Bonne route.

– Merci, répondit-il simplement, avant
de s'engager sur la départementale.

38

Metz – 2 juillet – 14 h 00

– Elle se réveille, entendit-elle prononcer dans une semi-conscience ouatée...

Des bribes de voix semblaient se confondre autour d'elle, se faisant écho sans qu'elle puisse distinguer le sens des mots. Après les sons, elle commença à percevoir la lumière à travers ses paupières toujours closes. Une luminosité faite d'ombres passagères... Elle ne rêvait pas. Elle n'avait pas rêvé du tout, se contentant de se laisser happer par ce trou noir. La douleur, un martèlement féroce et continu, s'imposa enfin, qui s'amplifia au fur et à mesure de sa reprise de conscience.

Elle ouvrit les yeux lentement, autant que l'accoutumance à la clarté environnante le lui permettait. Tout lui revint d'un seul coup à l'esprit : Moureau, le juge, le coup à la tête. Une femme aux traits plutôt aimables... lui parlait doucement :

– Reposez-vous, commissaire ! Vous avez subi un sacré choc.

– Il n'y est pas allé de main morte, réussit-elle à prononcer, chaque mot amplifiant la douleur.

Ses lèvres semblaient collées l'une à l'autre.

– J'ai soif, ajouta-t-elle.

– Je vais vous donner de l'eau, répondit la femme dont la blouse blanche lui fit deviner qu'elle était médecin..., mais prenez tout votre temps pour vous remettre !

Ses doigts habiles lui soulevaient la tête et parcouraient le crâne avec douceur. Amélie répondit du mieux qu'elle put à un interrogatoire médical rapide, malgré sa difficulté à reprendre ses esprits.

– Forte commotion, sans plus. Une petite coupure, mais je n'ai pas l'impression qu'il y ait de fracture ou d'hémorragie intra-crânienne. Il faudra quand même vérifier ça à l'hôpital. Je vous laisse une seconde avec votre collègue. Je vais demander un peu d'eau.

– Inutile ! prononça une voix familière qu'Amélie reconnut aussitôt : celle de Roger Salens. J'ai ce qu'il faut.

« Qu'est-ce qu'il foutait là ? pensa-t-elle instantanément, il devrait être en train d'assurer la protection de Corinne Béli-vier ! » Elle tenta de bouger, ne parvenant qu'à réveiller la douleur.

– Aidez-moi à me redresser ! demanda-t-elle. Je voudrais m'asseoir.

– Pas tout de suite, recommanda le médecin. Attendez un peu !

– Où suis-je ?

– Toujours dans la bibliothèque, répon-dit la voix toujours irréelle de Salens.

– Dermottant ?

– Plus rien à faire pour lui.

– Qu'est-ce que tu fais ici, Roger ? Tu devrais être en train de couvrir Bélivier.

Son visage apparut enfin devant ses yeux.

– Ne t'inquiète pas ! Ils sont six mainte-nant chez elle... Avec Serge. Elle ne peut même pas faire pipi sans être suivie... Quant à ma présence ici : ordre de Simeoni. Il voulait que j'assiste au réveil de la Belle au bois dormant. Et surtout que je lui rende compte... Pour dire la vérité, s'amusa-t-il, je l'ai même senti un peu inquiet.

– Moureau ? demanda-t-elle.

Le visage de Salens se fit plus grave :

– Rien, il a disparu aussitôt. Nous avons déclenché le plan Épervier sur toute la zone, mais sans résultat pour le moment. Il avait à peine un quart d'heure d'avance... mais le temps de tout mettre en place...

– Oui, murmura-t-elle. Il est certain que c'est un bon. Il nous a bien baisés.

Il ne répondit rien. Pas besoin. Elle savait qu'il partageait son amertume.

– Donne-moi un coup de main, Roger ! Je voudrais m'asseoir pour voir au moins ce qui se passe.

– Tu devrais peut-être attendre encore un peu ?

– Roger !

– Bien, accepta-t-il avec résignation.

Elle ne pensait pas que tant d'efforts lui seraient nécessaires pour retrouver la position assise, efforts qui avaient réveillé la douleur et causé même une légère nausée. La désapprobation se lisait sur le visage du médecin, de retour avec un brancard, mais elle se contenta de vérifier qu'Amélie se remettait normalement. Celle-ci se moquait bien de ses états d'âme et eut plutôt une pensée émue à la vue de la victime qui n'avait pas vraiment mérité son sort.

– Je viens de parler à Simeoni, s'amusa Salens. Il m'a dit qu'il en avait assez de te ramasser tout le temps avec des bleus, et qu'il serait temps que tu apprennes à te protéger un peu et à ne plus faire n'importe quoi.

Amélie avait du mal à sourire sans grimacer. Il poursuivit :

– Il m'a transmis des consignes claires et non négociables. Tu n'as plus rien à faire ici. On va d'abord à l'hôpital pour vérifier que ta tête n'est pas plus touchée qu'elle ne l'était déjà puis, si j'ai l'autorisation des médecins, je te raccompagne à Paris. Chez toi, je précise.

Elle grommela :

– Je ne suis pas impotente ! Il me faut juste une ou deux heures pour me remettre un peu.

– Pas de discussion ! refusa Salens. Si je ne le fais pas, il paraît qu'on cherche des volontaires à la circulation !

– Et Bélivier ?

– Sous surveillance vingt-quatre heures sur vingt-quatre, aussi longtemps qu'il faudra ! Dolli reste ici pour l'instant, au cas où la police réussirait à attraper Moureau.

– Rien d'autre ? soupira-t-elle.

– Si, deux choses, répondit-il. Siméoni te fait dire qu'il passera probablement te voir en fin de soirée... Dès qu'il le pourra... C'est un peu le bordel au Quai en ce moment, vu le statut de Moureau. Et enfin, il te signale que les informations relatives à ton état de santé seront communiquées aux personnes inté-ressées.

« Ce qui veut dire, David », songea-t-elle. Il devait être mort d'inquiétude, surtout s'il avait entendu les coups de feu dans son portable.

Elle se résigna :

– Ok. On y va alors !

Le médecin qui se tenait encore à son côté, fit signe aux brancardiers de s'exécu-ter. Amélie hésita, envisageant de refuser de se faire transporter ainsi, puis se laissa faire. Ça ne lui ferait pas de mal de souf-fler un peu...

39

Paris – 2 juillet – 23 h 00

Mon vieux pote Simeoni n'a pas la
forme des grands jours, la gueule de travers, la veste froissée et la cravate aux
abonnés absents. Bref, sa journée n'a pas
été de tout repos, et on serait fatigué à
moins !

– Entre ! lui dis-je avec d'autant plus
d'assurance que je ne suis pas chez moi,
mais chez ma copine.

– Amélie ? m'interroge-t-il.

– Ça va. Elle se repose, mais elle ne
dort pas. Elle attendait ta visite.

À preuve, ma charmante rouquine sort
de sa chambre à coucher, vêtue d'un
pyjama trop large, d'un autre temps. Probablement un souvenir de jeunesse, enfilé
dans le seul but de ne pas se présenter en
tenue trop légère devant son patron. Ils ne
s'embrassent pas, mais je sens percer une
réelle affection dans les salutations qu'ils

échangent avant de s'installer tous les deux sur le canapé. J'ai compris ! C'est encore bibi qui va s'occuper du service ! Il faut savoir utiliser toutes les compéten-ces ! François prendra un verre de vin, et ma dulcinée une tisane aux fruits rouges.

Amélie repasse en revue les événements de l'après-midi que j'ai déjà entendus, je n'interviens donc pas, me contentant d'al-ler chercher une chaise pour me joindre à eux, avec ma boisson préférée dont vous avez deviné le goût !

J'interroge Simeoni :

– Une journée de folie, j'imagine ?

– Tu ne crois pas si bien dire, j'ai passé mon temps à me défendre d'avoir fait venir Moureau à la Crim'... Ce qui panique la hiérarchie, c'est que les jour-naux fassent des gorges chaudes du fait que le tueur prenait part à l'enquête. Un truc à nous ridiculiser.

– La hiérarchie ? Qui ? Maynard ?

– Non. Maynard est un gars bien qui a parfaitement joué le jeu. Il leur a précisé que Moureau n'était que stagiaire, mêlé à l'enquête du fait de ses connaissances spé-cifiques des lieux du crime, que lui-même avait approuvé l'idée de faire venir un flic d'expérience chez nous, et qu'il n'était pas

écrit sur son front qu'il était pourri jusqu'à la moelle.

Je souris :

– En ces termes ?

– Plus ou moins. En tout cas, ça les a
un peu calmés, ce qui nous a permis de
pouvoir enfin travailler.

Pendant sa plaidoirie, j'ai un peu réfléchi. Je tempère :

– Ne t'inquiète pas trop ! Je m'arrange-
rai dans mon prochain article pour présenter la situation de façon objective. Je
préciserai que les catacombes étant un
milieu particulier, vous deviez vous
adjoindre quelqu'un qui connaisse bien
les lieux, ce que vous avez fait à titre tout
à fait temporaire et exceptionnel. Je vais
écrire ça ce soir et je le sortirai demain.
Les autres canards devraient reprendre et
développer la même idée...

– Ça pourrait faciliter les choses, dit-il
pour se rassurer. Je préviendrai les pontes
demain matin à la première heure, en
espérant qu'aucun abruti ne diffuse, d'ici
là, l'info à la presse.

Je comprends ce qu'il veut dire. Il est
bien évident que les journaux sont maintenant au courant de la nouvelle victime
d'Highlander, le juge Dermottant. Mais ils

ignorent que c'est un flic qui a tiré. Je préciserai les faits dans mon article, en les présentant de manière positive. Je n'aurai pas à mentir puisque je pense sincèrement que le fait d'intégrer Moureau à cette enquête se justifiait pleinement, et que je n'aurais pas fait autrement si j'avais eu cette responsabilité.

Amélie pose enfin la question qui me brûle les lèvres :

– Moureau. On sait pourquoi ?

– Oui, soupire François. On avait, bien sûr, épluché son dossier avant de l'intégrer à l'équipe, mais on n'était pas remonté jusqu'à ses années de jeunesse. À la lumière des événements, je l'ai fait, un peu tard malheureusement, et j'ai découvert quelque chose.

– C'est-à-dire ?

– Moureau est un môme de la DASS qui a fait quelques conneries dans sa jeunesse. Pas grand-chose. Principalement des vols à l'étalage. Et un jour, il a été arrêté.

– Laisse-moi deviner ! Par Molina ?

– Oui. Nous n'avons pas tous les détails mais une relation de père à fils a fini par s'établir entre les deux. Le gosse paumé s'est trouvé une famille de fait et c'est pro-

bablement de cette rencontre qu'est né
son désir de rejoindre la police. La famille
Molina est devenue celle de Moureau.

– Quel âge a Moureau ?

– Trente-huit ans.

– Et il a rencontré Molina ?

– Il avait à peu près seize ans.

– Donc, il a débarqué dans la vie de
Molina un peu après la naissance de la
première de ses filles.

– C'est ça.

– Mais c'est bien sûr ! Les petites qu'il
considère comme ses sœurs se font mas-
sacrer par Deschamps, d'où un désir irré-
pressible de les venger.

– Il y a quand même quelque chose que
je ne comprends pas, intervient soudain
Amélie. Pourquoi le nom de Moureau
n'est-il pas apparu plus tôt ? Avec la
médiatisation de l'affaire Molina, il aurait
dû figurer dans le dossier à un moment
où à un autre.

Simeoni écarte les bras en signe d'impuissance. Il ne sait pas.

– Je pense avoir une réponse, leur dis-je.
Molina est encore gendarme quand ses
deux filles se font tuer. Il connaît bien la
procédure et sait qu'il va inévitablement
être mis à l'écart de l'enquête puisqu'il

est impliqué personnellement. Alors, il ordonne à Moureau de prendre du champ, de façon à disposer d'un informateur en qui il pourra avoir totalement confiance.

– Ça se tient, reconnaît François. Et tu tires ça d'où ?

– De l'examen des photographies du second procès Deschamps. La première des images qui a éveillé mon attention sur Moureau est une photo où le père Molina se retourne pour lui jeter un regard noir. Il avait dû lui dire de ne pas se montrer et ça l'a rendu furieux de le voir à l'audience.

– Tu as probablement raison, accepte Amélie.

– Maintenant, il nous reste une dernière question à résoudre, renchérit François : pourquoi la vengeance a-t-elle débuté si tardivement ? Béruse a été tué plus d'une année après la mort de Deschamps.

– J'avoue ne pas savoir. Peut-être leur fallait-il le temps de se préparer ? Ou alors, ils ne voulaient pas qu'on puisse rapprocher les deux affaires trop rapidement ?

– Ou autre chose que nous ignorons les a fait passer à l'acte, suggéra Amélie.

– Possible ! Vous avez perquisitionné chez Moureau ?

– Oui. Sans grand résultat, sinon l'arme qui aurait sans doute servi aux mutilations.

– Ah bon ! s'exclame Amélie.

– Oui. Un katana. Un sabre japonais. Le genre de lame qui tranche dans des membres comme dans du beurre. Il en avait plusieurs modèles, envoyés au labo pour examens. Moureau est un fervent pratiquant de kendo.

– Il ne m'avait mentionné que le judo, reprend Amélie.

– Pas étonnant, réplique Simeoni. C'est un malin qui n'allait pas attirer ton attention sur toutes ses compétences et son potentiel.

– Au fait, où en sont les recherches sur les fugitifs ?

– Rien de nouveau pour l'instant, maugrée François. Le père comme... le fils se sont évaporés.

– Ils doivent certainement disposer d'une planque quelque part, ils se sont peut-être retrouvés à l'heure qu'il est.

– Probable, accepte François. On trouvera, mais ça prendra du temps.

– Tu crois que Moureau avait déjà l'intention de tuer le juge, ce matin ?

– Je ne pense pas, intervient Amélie. Quand tu m'as appelé, j'ai fait la bêtise de lui jeter un coup d'œil sous l'effet de la surprise. Il s'est senti découvert et a probablement décidé de précipiter les choses.

– Ce qui n'est pas du tout certain, réplique François. Un silencieux ne fait pas vraiment partie de la panoplie du flic. À mon avis, il avait prémédité de profiter de la moindre occasion.

– C'est plutôt moi qui ai fait la connerie, leur dis-je. En réalisant son identité, j'ai eu peur pour Amélie et me suis précipité pour la prévenir alors que j'aurais mieux fait de t'avertir d'abord.

– Il ne sert à rien de spéculer, rassure mon vieux pote. Sous une autre configuration, nous aurions peut-être eu plus de morts. Amélie comprise !

– J'aime bien quand tu te fais du souci pour moi, sourit ma petite princesse.

Nos regards parlent pour nous, peut-être de façon trop voyante puisque notre François finit par se sentir de trop et se lève ostensiblement.

– Bon, je vous laisse. Réveil très tôt

demain matin pour une journée qui s'annonce tout aussi animée.

Salutations. Je le raccompagne à la porte et retourne m'asseoir auprès de ma compagne.

– Ton programme maintenant ? demande-t-elle.

– Je te couche, je te borde puis je tape mon article, tout en surveillant la qualité de ton sommeil et en terminant cette bonne bouteille de vin que l'on ne va pas laisser s'éventer !

Elle sourit, l'air fatiguée.

– J'ai une autre suggestion, dit-elle.

– Laquelle ?

– On se couche, on se borde et on s'endort ensemble. Demain, tu pourras mettre le réveil un peu plus tôt pour taper ton article.

– Possibilité intéressante, j'admets.

– J'ai bien dit : on s'endort !... Pour ce soir au moins... j'ai un peu la migraine.

– Même pas une semaine que nous sommes ensemble et déjà mal à la tête, ça promet ! ne puis-je m'empêcher d'insinuer en lui faisant un clin d'œil.

– Ne t'inquiète pas, je me rattraperai... et c'est toi qui demanderas l'arrêt des opérations.

– Je demande à voir.

– C'est tout vu. Alors, que penses-tu de ma proposition ?

– Elle me paraît honnête. Je fais quoi maintenant ? Je te porte jusqu'à la couche nuptiale ?

– Pourquoi pas ?

40

Paris – 3 juillet – 17 h 00

Simeoni s'attendait à voir débouler son patron dans son bureau. Patrick Maynard brandissait, en souriant, un journal qu'il déposa au milieu des dossiers.

– Ton ami nous a vraiment sauvé la mise, aujourd'hui ! Je reviens du ministère. Ils sont tout sucre tout miel, alors qu'hier ils réclamaient presque notre démission.

François ne regarda pas le journal. Il l'avait déjà lu et en possédait un exemplaire rangé dans l'un de ses tiroirs. Cette édition de l'après-midi comportait un article de David qui présentait la Crim' comme la huitième merveille du monde, même s'ils avaient été sur le point de commettre une énorme erreur d'appréciation, en associant à l'enquête « Highlander » un policier reconnu coupable. Avec conviction et objectivité, l'article démontrait que l'intégration de Moureau dans l'équipe résultait d'une volonté logique et constructive de servir l'enquête. Plus surprenant encore, le journaliste avait passé sous silence le rôle prépondérant qu'il avait lui-même joué dans la solution de l'affaire, en attribuant tout le mérite au commissaire Simeoni, présenté comme Saint-Georges domptant le dragon. Une véritable preuve d'amitié, s'il en fallait !

– Tu sais que ce n'est pas tout à fait la vérité, grommela François.

Maynard se détourna pour refermer la porte afin de préserver la confidentialité de leur entretien. Il s'exprimait avec force et conviction :

– François, tu sais combien d'affaires nous couvrons, chaque année. Est-il écrit sur quelque tablette mystérieuse que nous n'avons pas le droit, un jour ou l'autre, de commettre une erreur d'appréciation ?

– Non, bien sûr...

– Alors maintenant, au vu des circonstances, et d'après ce que nous savons déjà, est-ce que tu penses réellement que nous avons tant merdé que ça ?

François nota l'utilisation du « nous ». Bien dans l'esprit de Maynard toujours présent pour couvrir ses collaborateurs, même si lui-même n'était pas directement impliqué dans l'enquête, leur laissant l'entière maîtrise dans la conduite de celle-ci.

– Un peu, quand même, hésita-t-il. J'y ai pas mal réfléchi cette nuit. Lorsque Highlander nous est tombé dessus, cette histoire ne valait pas qu'on mobilise toute la Crim'. Mais, au fur et à mesure que les éléments nouveaux nous parvenaient, devant la multiplication des hypothèses, « nous » aurions dû alors renforcer les équipes de façon à pouvoir contrôler au maximum.

– C'est idiot, coupa Maynard. Dans ce cas, je suis tout aussi responsable que toi dans la mesure où j'aurais dû exiger qu'on muscle le groupe dès que le dossier est devenu politiquement sensible... Or, je ne l'ai pas fait...

– Parce que tu avais confiance en moi, trancha François, et que tu ne peux pas tout gérer non plus.

– On peut passer sa vie à culpabiliser. Nos erreurs peuvent aussi nous servir de leçon. De plus, ce n'est pas tant la manière que la hiérarchie nous reprochait, mais plutôt l'intégration de Moureau à l'enquête.

– Facile à dire, après coup ! Tu sais très

bien que c'est comme ça qu'on a recruté
la plupart de nos gars et qu'on n'a pas
vocation à fouiller leur passé en remontant à leurs années de maternelle !

Maynard balança ses deux bras en un
geste plein d'emphase.

– Voilà ce que je voulais t'entendre
dire ! s'exclama-t-il. Moralité, on prend ce
que Meyer nous donne. On lui paie un
bon gueuleton, sachant que ses écrits flat-
teurs n'exagèrent pas outre mesure la
vérité. On est bon, c'est un principe ; et on
résout suffisamment d'affaires pour pouvoir le proclamer haut et fort, c'est la réalité !

Simeoni s'amusa de bon cœur :

– Ta logique m'enchante. En plus, je
pense qu'il appréciera le gueuleton.

– Content que tu comprennes. Le sujet
est clos et on ne reviendra pas dessus. On
en est où maintenant pour les recherches ?

– Pour l'instant, rien de nouveau. Les
quelques amis connus de Molina ou de
Moureau ont bien évidemment été interrogés, mais sans résultat... Ils n'ont pas de
famille, mais le réseau de sympathisants
du père est particulièrement important.
On surveille même le cimetière où sont

enterrées les filles, au cas où ils auraient l'intention de s'y rendre.

Maynard grimaça en entendant cela, et François comprit : la procédure apparaît parfois inhumaine quand on en vient à empêcher un père de se recueillir sur la tombe des ses enfants !

– On est à l'affût pour l'instant, on attend l'ouverture, renchérit Simeoni.

– Bien, prononça Maynard en se levant... Et Boursin, ça va ?

– Elle n'a plus de migraine, sourit François. Elle sera là demain, je lui ai donné l'ordre de rester chez elle.

– Il faut dire qu'elle s'est pris un sacré nombre de coups depuis quelques semaines. Comme quoi, il faut parfois éviter d'être toujours en première ligne.

– C'est malheureusement dans sa nature.

– Et c'est pour ça qu'elle est l'une des meilleures, termina Maynard, je sais. Tu me tiens au courant ?

– Évidemment !

– Alors, à plus tard...

Simeoni observa l'exemplaire du journal oublié devant lui. Il s'en empara et le rangea consciencieusement, dans son tiroir, à côté du premier...

41

Beauvais – 10 juillet – 17 h 00

Le cimetière. Terminus des vanités. Le type même d'endroit que j'ai du mal à fréquenter. La mort est peut-être contagieuse...

Mais là, je m'y rends pour la bonne cause, car c'est là que sont inhumées l'épouse et les trois filles de Xavier Molina.

Et c'est surtout « là » qu'il m'a donné rendez-vous, ce soir...

Une semaine maintenant que la chasse à l'homme a été lancée, sans qu'aucune piste n'aboutisse vraiment ; les fugitifs bénéficient, à l'évidence, de multiples complicités. Les journalistes eux-mêmes restent mitigés dans leur appréciation du dossier. L'opinion a été secouée en apprenant les assassinats, mais elle demeure bienveillante à l'égard des justiciers. Un sentiment qui durera aussi longtemps que des multi-récidivistes sortiront de prison pour perpétrer de nouveaux crimes ! Il faut se méfier de l'amalgame, mais il faut comprendre aussi la réaction de celui qui craint de devenir, un jour, victime du laxisme de la société. L'opinion balance encore en faveur de Molina, au moment où je vais le rejoindre.

Je parcours l'allée centrale gravillonnée, mes yeux s'arrêtent sur les quelques rares mausolées de pierre blanche. Je ne peux m'empêcher de sourire avec un zeste d'ironie à la lecture des inscriptions. On en voit une, on les a toutes vues ! Tous ces disparus sont « absents », « regrettés », « arrachés à l'amour de leur proche »... L'hypocrisie jusque dans la mort, portail du grand pardon !

Allée F. J'y suis ! Me fiant aux renseignements qui m'ont été donnés, je croise le troisième embranchement sur la gauche et distingue enfin la silhouette d'un homme, assis une trentaine de mètres plus haut et que je perçois de profil. Molina m'attend sur un petit siège de toile et semble absorbé dans la contemplation d'une tombe, devant lui. Il m'a sûrement entendu arriver, mais ne prononce aucun mot avant que je ne sois à ses côtés. La stèle qui est devant nous est lourdement fleurie, contrairement aux autres. Quatre noms sont gravés dans le marbre, celui de son épouse et ceux de ses trois filles. Une photo représente leurs portraits. Son regard de père ne les quitte pas, ce sont les femmes de sa vie. Sa voix n'est qu'un murmure :

— Merci de m'avoir permis de leur rendre visite, une fois encore.

Je réponds doucement :

— Ça me paraît naturel.

Rien de plus à ajouter. Lorsqu'il m'a contacté deux jours plus tôt, avec la volonté de se rendre, il a exigé que ce soit dans ce cimetière et en ma seule présence, ce qui impliquait que toute surveillance policière soit levée. François avait accepté ces conditions. Mon vieux pote avait d'abord fait la sourde oreille, inquiet pour moi, mais il avait fini par m'accorder ce que je demandais. Il attendait maintenant dans une voiture, une centaine de mètres plus haut sur la route.

Molina fixe toujours la photographie. Il a l'air accablé. Mais je n'ai aucun doute

sur le fait qu'il reste un battant, un guer-
rier, qui n'a pas abattu toutes ses cartes.

– Avez-vous été surpris ? interroge-t-il
soudain.

– De quoi ?

– Que j'ai décidé de déposer les armes.

Je porte mon regard sur l'horizon de
pierres et de croix sans réellement le voir.
Je souris.

– Je ne pense pas que vous soyez du
genre à rendre les armes sans une très
bonne raison.

– Ah bon ! s'exclame-t-il de sa voix soudain rajeunie.

– Je pense que vous avez décidé de
mettre fin à cette cavale uniquement pour
pouvoir encore dire des choses, dénoncer
d'autres injustices... Et vous attendez de
votre second procès, une tribune nécessaire pour le faire.

– De toute évidence, j'ai bien fait de
m'adresser à vous... Et qu'est-ce qui vous
fait penser ça ?

Je murmure :

– Si vous n'aviez pas eu un objectif à
long terme, vous seriez déjà mort. Probablement suicidé. Vous n'auriez pas pu
supporter ces quelques mois nécessaires à

l'élaboration de votre fameuse liste... C'est ma façon d'analyser votre comportement.

Sans confirmer pour autant, il opine gravement de la tête, comme si je venais de révéler les fondements de la sagesse.

– Que vous avez aimée ? me demande-t-il.

– La liste ? J'avoue avoir éprouvé une certaine sympathie pour celui qui avait osé faire ça.

– Vous en parlez au passé. Ce n'est plus le cas ?

– C'était avant les cinq meurtres.

– Cinq ? Je pensais trois uniquement.

– Dans la situation de confiance où nous nous trouvons tous les deux, ne me racontez pas d'histoire ! Deux de ces meurtres ne seront probablement jamais élucidés comme tels mais vous, tout comme moi, savez parfaitement ce qu'il en est.

Il acquiesce, toujours sans me regarder. Son attitude n'infirme ni ne confirme. Comprenne qui pourra. Je poursuis :

– Quand bien même vous ne seriez pas l'exécuteur de ces assassinats, vous en avez été l'instigateur.

– Qui vous dit que je ne suis pas l'exécuteur ?

– La logique. On ne va pas rentrer dans les détails mais nous savons tous les deux qu'il s'agit de Moureau... Votre fils, sinon biologique du moins spirituel...

Il se tourne enfin vers moi et lève la tête pour me fixer. Nos regards se croisent avec force. Ses yeux démentent toute fragilité. Ils sont durs et froids. Ils ne sont pas habités par le doute !

– Pour tous, ce sera moi, dit-il. Et j'ai bien l'intention que cela reste ainsi.

– Un peu difficile à justifier dans le cas de Dermottant. Il y a un témoin.

– Oui... Une erreur, malheureusement.

Une brutale bouffée de colère me saisit, que je contrôle difficilement. Parle-t-il de la survie d'Amélie ? Pour m'en assurer j'interroge :

– L'erreur, c'est d'avoir laissé vivre le témoin, ou l'acte lui-même ?

La sécheresse de mon ton l'a alerté. Son regard se glace encore plus :

– Ni l'un ni l'autre. Il était hors de question de tuer quelqu'un qui n'avait rien à voir avec la mort de mes filles. Olivier aurait simplement dû attendre un peu. Mais comme vous le savez, il n'avait plus le choix.

– Parce que je l'avais démasqué.

– Oui.

– Et malgré ça, vous faites encore appel à moi pour vous confier.

Il esquisse un sourire :

– Je me suis habitué à vous et j'ai apprécié la sincérité de notre première conversation. Votre réputation d'honnê-teté me semble confirmée par la ligne de vos articles... Enfin, je ne me confie pas. Je capitule et j'avoue mes crimes... Je suis Highlander.

Je hausse les épaules.

– Nous savons que ce n'est pas la vérité... Mais si vous voulez en faire votre ligne de défense...

– C'est la façon dont je compte exposer la situation, en effet.

Je soupire :

– De toute façon, quelle que soit l'iden-tité de l'assassin, vous passerez pour cou-pables, l'un comme l'autre... Que vous souhaitiez protéger Moureau est une chose, que vous réussissiez à le faire de façon convaincante, en est une autre... Et le fait que sa victime attestée soit un juge...

Il me coupe avec ironie :

– Un juge est-il donc plus précieux qu'un psychiatre ?

– Ne me faites pas dire ce que je n'ai pas dit. Mais vous savez comment tourne le monde.

Il hoche pensivement la tête.

– Malheureusement oui... Alors, il n'y a plus qu'à espérer, pour Olivier, qu'il ne soit jamais rattrapé.

– Oui... Si espérer s'avère être le mot, dans ce cas précis.

– Vous n'êtes pas d'accord ?

– Ce que je ressens n'a aucune importance. Ce qui compte, ce sont les faits que j'exposerai...

– C'est tout ce que j'attends de vous. Et je compte bien faire de même..., à ma manière.

– Il faut deux parties pour un débat, n'est-ce pas ?

Il sourit :

– Oui.

– Et vous escomptez pouvoir relancer ce débat.

– Pourquoi pas ? Après tout, c'est votre travail de décrire. Le reste est une question d'interprétation.

– Croyez-vous que ce sera si simple ? Vous avez quelque peu entamé votre capital de sympathie.

– Le croyez-vous vraiment, monsieur Meyer ?

– Vous n'éviterez pas la prison.

– Bien évidemment que non ! Et je ne veux pas y échapper. Mon but est de porter à nouveau le débat sur la place publique... Je veux que ceux qui pourraient être tentés de relâcher dans la nature des tueurs potentiels y réfléchissent à deux fois, conscients du fait qu'ils en seront tenus pour physiquement responsables.

– Ces menaces ne ramèneront pas vos filles !

– Certainement pas... Je le concède... Mais il suffit parfois d'une personne pour faire bouger les choses. Pour faire écrire la loi... Avez-vous entendu parler de la loi Megan, monsieur Meyer ?

– Une loi américaine, je crois ? Sur les criminels sexuels ?

– Oui. Du nom d'une fillette de sept ans, Megan Kanka, violée et assassinée par un récidiviste. Et c'est à l'issue du débat public qui en a résulté, que les délinquants sexuels ont maintenant obligation de se faire connaître des autorités, dès leur sortie de prison. On avise les voi-

sins de leur présence, et surtout ces données sont accessibles à tous, via Internet.

— Je ne vois pas le rapport avec les
meurtres ! Vous n'en aviez pas besoin.
Vous auriez pu vous battre sans ça !

— En êtes-vous si certain ? Qui m'aurait
écouté ? Ce n'est pas la première fois que
la France connaît ce genre de scénario...
Et pour quel résultat ? D'autres enfants
martyrisés ? Allons, monsieur Meyer,
vous n'êtes pas si naïf ! À cet égard, sachez
que si nous avions, dès le début, envisagé
de frapper de cette façon tous les coupables, nous avons fini par y renoncer.

Je ne peux m'empêcher de ricaner. Il
croit que je vais accepter ses arguments !

— Vous vous êtes simplement contentés
d'attendre, pour qu'on ne fasse plus le lien
avec votre histoire aussi rapidement.

— Non, monsieur Meyer. Nous avions
définitivement fait une croix sur cette
méthode.

— Alors, qu'est-ce qui vous a fait changer d'avis ?

Ses traits se sont brusquement tendus,
déformés en une grimace de haine.

— Béruse, lui-même, a donné une interview de trop dans un journal juridique
spécialisé. Comment procéder pour que la

pire des ordures s'en tire ? Faisant même référence au procès Deschamps. Olivier est tombé sur cet article et je n'ai pas pu le freiner. Il voulait sa peau. Après avoir pris moi-même connaissance du texte, je ne souhaitais plus vraiment l'arrêter.

– Je veux bien admettre pour Béruse. Si je me réfère à ce que j'ai entendu, c'était bel et bien un salopard, mais pourquoi les autres ?

– En le surveillant, nous nous sommes rendu compte que Dervier était sa maîtresse depuis qu'il était venu rendre visite à son client à l'UMD... Vous rendez-vous compte de ce que ça impliquait ? Cette garce a peut-être autorisé la libération de Deschamps pour faire plaisir à Béruse qui ne supportait pas que son protégé soit interné, à la suite du non-lieu.

– Vous dites : peut-être ! En avez-vous la moindre preuve ? D'après ce que j'ai pu apprendre, cette femme était une vraie professionnelle, qui n'aurait pas pris un tel risque ! Et quand bien même elle l'aurait souhaité, elle n'aurait pas pu faire libérer Deschamps sans l'aval des autres médecins de l'UMD !

– Là, c'est vous qui me prenez pour un apprenti, monsieur Meyer. Nous savons que Béruse ne supportait pas que Deschamps soit enfermé. Il vivait cet internement comme un déni de sa victoire au tribunal, comme une injure personnelle. Ce sentiment apparaissait tout à fait clairement dans tous les articles qu'il a publiés ainsi que dans les interviews qu'il a données. Il ne lui aura pas été difficile d'influencer Deschamps au travers de ce qu'il aura pu apprendre, en couchant avec Dervier. À supposer, bien évidemment, qu'elle ne soit pas complice au départ...

– Elle aura été trompée dans ce cas et ça ne méritait pas la mort !

– Que vous dites, monsieur Meyer ! Que vous dites... Les idées de Béruse étaient de notoriété publique. Il ne s'en est jamais caché... Si elle ne les récusait pas en continuant de le fréquenter, c'est qu'elle les partageait et devenait donc dangereuse par son pouvoir de faire libérer des individus abjects. Il était de toute façon hors de question que nous prenions ce risque, une fois l'opération commencée.

– Et pour les autres, jusqu'à Dermottant, vous tenez le même genre de raisonnement ?

– À partir du moment où nous avions tué, pardon, où j'avais tué les deux, il nous fallait changer de stratégie et faire bel et bien passer un message fort, en nous occupant aussi des autres. Nous ne pouvions nous arrêter à mi-chemin.

– Votre logique un peu tordue m'échappe en grande partie... Mais j'imagine que mon opinion vous est indifférente.

Il se retourne à nouveau vers la tombe de sa famille.

– C'est malheureusement exact, monsieur Meyer... Je ne pourrai jamais me sentir coupable de ce que j'ai fait... Si un seul psychiatre se met enfin à hésiter jusqu'à refuser la libération d'un malade potentiellement dangereux, alors j'aurai gagné. La vie d'une seule femme ou celle d'un d'enfant sauvée vaut largement la peau de ces cinq personnes.

Que répliquer à ça ? Nous sommes l'un à côté de l'autre et cependant sur des planètes totalement différentes. Quelle que soit la durée de notre conversation, je ne pourrai ni le convaincre, ni être convaincu. La douleur intense ne se raisonne pas, elle peut même conduire aux portes de la déraison.

Alors autant abandonner pour le moment. Je me détourne vers l'allée.

— On y va, monsieur Molina ?

Il jette un nouveau regard de souffrance sur la dernière demeure de ses enfants, comme pour en absorber chaque meurtrissure de pierre. Puis il se penche et ramasse la photographie, avant de replier délicatement son tabouret.

— Après vous, monsieur Meyer !

42

Aéroport de Madrid – 13 juillet
18 h 00

Olivier Moureau ne se sentait pas vraiment concerné. Cela faisait bien longtemps qu'il avait assumé son pacte avec le diable. S'il devait être arrêté un jour, alors que cela soit ! Même si le policier de l'immigration prenait tout son temps pour examiner ses papiers, il ne voyait là que la procédure habituelle.

Il n'était pas inquiet : son passeport avait été préparé de longue date et représentait ce qui se faisait de mieux en matière de faux papier. Encore un des contacts de Xavier Molina à la Préfecture de Police ! Un sympathisant à sa cause, dont la femme avait, un jour, rencontré un violeur dans un parking, et elle en avait été brisée pour la vie.

– Bon voyage, monsieur Larmier.

Moureau prit la direction du portique

de détection. Une nouvelle formalité ! Un rapide coup d'œil au tableau des vols : il n'en avait plus que pour une heure à attendre, ce qui lui laissait le temps de lire le journal qu'il venait d'acheter.

L'article de Meyer s'étalait en première page. Il en parcourut rapidement les premières lignes pour en venir à la conclusion :

« Nous ne rentrerons pas dans le débat de savoir qui, de Xavier Molina ou d'Olivier Moureau, est le véritable Highlander. À cet égard, les versions diffèrent entre celui qui se présente comme tel et les conclusions de la brigade criminelle. De toute façon, leur sort est intégralement lié et l'ancien policier, toujours activement recherché, est tout aussi coupable de ces assassinats que le père meurtri.

Maintenant que celui-ci est de nouveau emprisonné, il convient de s'interroger sur l'impact de ses crimes et sur le risque qu'ils ne contribuent à nous faire oublier le véritable problème, à savoir celui du sort à réserver à ces délinquants sexuels qui hantent encore trop souvent nos villes et nos campagnes.

Pourquoi Molina a-t-il agi de la sorte, au

risque de perdre son capital de sympathie aux yeux de l'opinion ? En poussant le raisonnement dans sa logique la plus extrême, on aurait pu comprendre qu'il aspire à se venger au moment même des faits, mais comment accepter ces assassinats commis après plusieurs mois d'oubli, dans des conditions atroces ? Il ne s'agissait pas là, simplement, de meurtres engendrés par une passion vengeresse, mais bel et bien d'exécutions soigneusement programmées et orchestrées. N'oublions pas que des têtes et des membres ont été tranchés et que des corps ont été dissimulés pour pourrir en un endroit secret. Est-ce là la volonté de quelqu'un qui souhaite faire passer un message ou celui d'un homme à qui la douleur a fait dépasser les bornes de l'humanité ?

La Justice est loin d'être parfaite. Mais nous avions une chance de la faire avancer. Où en sommes-nous, maintenant que les victimes sont devenus bourreaux ?

J'en veux à Xavier Molina et à Olivier Moureau ! Je leur en veux d'avoir gâché l'occasion de faire progresser une cause dont nous sommes nombreux à penser qu'elle est aussi la nôtre. Dans un premier temps, on a pu assurément les reconnaître comme des victimes. Mais n'ont-ils pas renoncé à ce titre en devenant coupables de bestialité ?

Je ne sais pas... Je ne sais plus... Et je suis déçu... »

« Ce que Meyer ne comprenait pas encore, songea Moureau en soupirant, c'est que dans ce monde, il vaut souvent mieux être bourreau, pour être écouté. La voix porte bien plus fort et plus durablement, parce que l'assassin est encore vivant... »

Il replia le journal, se leva et se dirigea tranquillement vers le terminal. L'embarquement avait commencé. Plus que quelques minutes avant de prendre place dans l'avion...

Il avait des amis à Rio qui l'aideraient à s'établir...

Sans espoir de retour...

PRIX DU QUAI DES ORFÈVRES

Le Prix du Quai des Orfèvres, fondé en 1946 par Jacques Catineau, est destiné à couronner chaque année le meilleur manuscrit d'un roman policier inédit, œuvre présentée par un écrivain de langue française.

• Le montant du prix est de 777 euros, remis à l'auteur le jour de la proclamation du résultat par M. le Préfet de police. Le manuscrit retenu est publié, dans l'année, par la Librairie Arthème Fayard, le contrat d'auteur garantissant un tirage minimal de 50 000 exemplaires.

• Le jury du Prix du Quai des Orfèvres, placé sous la présidence effective du Directeur de la Police judiciaire, est composé de personnalités remplissant des fonctions ou ayant eu une activité leur permettant de porter un jugement sur les œuvres soumises à leur appréciation.

• Toute personne désirant participer au Prix du Quai des Orfèvres peut en demander le règlement à :
M. Éric de Saint Périer
secrétaire général du Prix du Quai des Orfèvres
18, route de Normandie
28260 BERCHÈRES-SUR-VESGRE
Téléphone : 02 37 65 90 33
E-mail : p.q.o@wanadoo.fr

La date de réception des manuscrits est fixée au 15 avril de chaque année.

Ouvrage composé par Nord Compo
Villeneuve-d'Ascq

« Pour l'éditeur, le principe est d'utiliser des papiers composés de fibres naturelles, renouvelables, recyclables et fabriquées à partir de bois issus de forêts qui adoptent un système d'aménagement durable.

En outre, l'éditeur attend de ses fournisseurs de papier qu'ils s'inscrivent dans une démarche de certification environnementale reconnue. »